Eurus

Notus

地域衰退

宮崎雅人

Masato Miyazaki

Boreas

Zephyrus

岩波新書
1864

はじめに

「景気回復の温かい風」は届かない

憲政史上最長となった安倍晋三政権と、その後を引き継いだ菅義偉政権の下で進められている「地方創生」の取り組みによって、「景気回復の温かい風を全国津々浦々に届ける」こと、つまり、地方の景気浮揚が目指されている。政権の看板政策として進められているにもかかわらず、ずいぶんと長い間、「道半ば」の状態が続いている。

なぜいつまで経っても「景気回復の温かい風」は地方に届かないのか。それは届く経路が限られているからである。本書で詳しく論じる基盤産業(地域外へ生産物を移出し、地域外から所得を得る産業)の衰退が生じた地域では、地域衰退が避けられない。そして、そうした地域には景気回復は波及しない。地域衰退の問題と「温かい風」が届かないことは密接に関係しているのである。富める者が富めば、貧しい者にも自然に富がトリクルダウンする(したたり落ちる)というトリクルダウン理論が想定するような結果は見られない。

本書には、基盤産業が衰退した地域の事例として、長野県須坂《すざか》市、長野県王滝村、群馬県南牧《なんもく》村、旧産炭地が登場する。これらの地域の衰退プロセスは後に詳しく見ていくが、現状を見ても、「温かい風」が届いているとは到底言い難い。

さらにいえば、社会保障が地域の産業構造を形づくっていることも強く関係している。株価が上昇しても、すぐに高齢者の年金給付が増えるわけでもなく、医療や介護に従事している人々の給料が上昇するわけでもない。そのため、社会保障という経路を通じても、景気回復は地域に波及しにくいのである。

本書では、このような地域経済の問題を考えるための基礎を説明する。そして、「なぜ地域は衰退したのか」を明らかにしていく。その上で、衰退を食い止めるために具体的にどのようなことを行うべきかを論じる。

新型コロナウイルスと地域

さて、読者の皆さんもご存じのように、新型コロナウイルスの流行によって世の中は大きく変化した。国内外で人の流れが止まり、サービス業を中心に多くの地域で基盤産業が打撃を受けている。

他方で、これを奇貨として、国から地方への地方分権と、人や企業の地方分散を推し進め、東京一極集中を是正しようという動きも見られる。

こうした大きな変化を踏まえ、本書では、新型コロナウイルスの流行が地域経済に与えた影響や、「コロナ禍」の中でいかにして地域衰退を食い止め、社会経済的影響をコントロールしていくかについても論じる。

本書の構成

本書の構成は次の通りである。

第1章では、地域衰退がどのくらい進んでいるのかをデータを用いて説明していく。日本の地域が、人口減少、少子高齢化、産業の衰退によって、かなり厳しい現実に直面していることが改めて示される。

第2章では、第1章で見た地域衰退がどのように進んだのかを明らかにする。かつて地域に雇用を生み出してきた製造業、リゾート(個人向けサービス業)、建設業が地域に雇用を生み出すことが難しくなったことを、具体例を交えながら説明していく。

第3章では、衰退が著しい地域について、少し時間をさかのぼって一九六〇年代から見ていく。基盤産業が衰退し、その後、新たな産業が興らなかった地域で衰退が著しくなっていることを示す。さらに、地域衰退と裏表の関係にある、大都市など特定の都市への人口や企業の集中に関して、「事業所サービス業」(生産者サービス業、ビジネスサービス業)と関連づけて見ていく。特定の都市でのサービス経済化は、そこへの人口や企業の集中をもたらす一方で、中小都市や町村でのサービス経済化は、高齢者に対する社会保障給付によって形づくられていることを示す。その上で、一部の地域では、地域衰退の「臨界点」に達している可能性があることを、「公共サービス業」(医療、福祉、教育等)の現状を踏まえて論じる。

第4章では、国が行ってきた地域衰退への政策と筆者の評価を、農林業と市町村合併を例に挙げて述べていく。これらの分野で行われてきた「規模の経済」的政策対応は、政策目的を達成することができず、むしろ問題を引き起こす可能性すらあることを明らかにする。

第5章では、地域衰退を食い止めるために具体的にどのようなことを行うべきかを論じていく。提案の中身については本文で確認していただきたいが、第1～4章の分析に基づいて提案を行っている。さらに、新型コロナウイルスの流行が地域に与えた影響や、いかにして対策を行っていくべきかについても述べている。

本書では、地域衰退がなぜ、どのように進んだのか、そして、地域衰退を食い止めるためには何を行うべきかを、地域における産業の盛衰を中心に据えて論じている。本書を通じて明らかにされることは、産業の衰退が地域衰退の要因であり、新たな産業を興すことが地域衰退を食い止める手段だということである。そして、このことは日本全体の衰退と根っこは同じなのである。

新たな産業の創出なくして、地域も、そして日本全体も、「復活」することなどあり得ない。本書に書かれていることは、まさに日本全体の問題であり、大都市に住む人々にもぜひ最後までお読みいただきたい。

目　次

第1章

地域はどのくらい衰退したか

本章では、地域衰退がどのくらい進んでいるのかについて、データを用いて示していく。本章を読み進めることによって、感覚的に捉えられてきた地域衰退を具体的に捉えることができるであろう。

第1節　進む少子高齢化

人口減少と高齢化

地域衰退の現状を基本的なデータから確認してみよう。まずは人口に関するデータである。表1-1は一九九八年から二〇一八年の二〇年間の人口減少率が高い上位二〇市町村のデータを示したものである。たとえば、この期間で人口減少率が最も高かった奈良県川上村では、一九九八年には人口が二八七八人であったが、二〇一八年までに四九%減少し、一四六七人になっている。川上村以外の市町村の人口減少率も著しく高く、人口の四割がここ二〇年間で減少したことを読み取ることができる。

都道府県レベルで見た場合には、これほどの人口減少率の高さを目にすることはないが、実は市町村レベルではこの二〇年間で人口減少がかなり進んでいることがわかる。中でも北海道と奈良県の市町村の多さが目につく。これらの市町村で人口減少が進んでいる理由は、次章以降で詳しく論じていくことになるが、基盤産業の衰退が原因であると考えられる。

本書では、地域経済の成長を牽引するのは、地域外に移出され、当該地域に所得をもたらす基盤産業であるという移出ベース理論(North 1955, 松原 二〇〇六)の考え方に基づいて議論を進めるが、人口減少にも基盤産業の動向が大きな影響を与えていると筆者は考えている。

この二〇年間の市町村の平均人口変化率は、人口が増加した市町村も含めるとマイナス八・七%であるが、人口が減少した市町村のみで計算すると、マイナス一九・一%となっている。

表 1-1 人口減少率の上位 20 市町村

（単位：%）

市町村名	減少率
奈良県川上村	−49.0
北海道夕張市	−49.0
北海道利尻町	−48.8
群馬県南牧村	−48.2
北海道歌志内市	−47.3
奈良県東吉野村	−46.5
宮城県女川町	−45.9
奈良県上北山村	−45.9
山梨県早川町	−44.8
高知県大豊町	−44.6
北海道上砂川町	−44.1
青森県今別町	−43.6
奈良県黒滝村	−43.4
奈良県野迫川村	−42.7
長野県天龍村	−42.2
青森県西目屋村	−41.7
山口県上関町	−41.5
奈良県天川村	−40.8
北海道福島町	−40.6
奈良県曽爾村	−40.5

（出所）「住民基本台帳に基づく人口，人口動態及び世帯数調査」より作成．

なお、この数値は二時点間で比較可能である市町村合併を行っていない市町村のみを対象としており、全体で一一五一市町村、人口が減少した市町村は七九三市町村であった（本章では単純に二時点間の比較を行うため、基本的に非合併市町村を対象としているが、これで全体の七割程度はカバーしている）。

したがって、かなり多くの市町村で、すでにこの二〇年間で平均二割程度の人口が減少しており、人口増加が続いている市町村は少数派であるといえる。

二〇一四年に刊行された『地方消滅』で「消滅可能性都市」の具体名が挙げられ、あわせて国立社会保障・人口問題研究所が示した「日本の地域別将来推計人口」が話題になった。それらが示した将来の市町村人口の推計結果は衝撃的なものであったが、地域における著しい人口減少は「これから起こること」ではなく、すでに起こっていることなのである。

こうした人口減少は高齢化と強い相関関係が見られる。図1-1は先に用いた人口変化率と二〇一八年時点の高齢化率（総人口に占める六五歳以上の高齢者の割合）の市町村データを散布図にして示したものである。なお、外れ値の二自治体は図から除いている。この図から読み取ることができるように、人口減少率が高いところほど高齢化率が高くなっている。表1-1で示した二〇市町村の高齢化率もほぼすべてのところで四〇%を上回っており（平均値は四九・七%）、最も高齢化率の高い群馬県南牧村では六一・五％となっている。

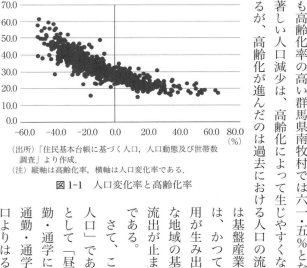

著しい人口減少は、高齢化によって生じやすくなっている（死亡が発生しやすい）という指摘もあるが、高齢化が進んだのは過去における人口の流出がその要因の一つであり、流出の背景には基盤産業の衰退がある。人口減少が進んだ市町村では、かつて農林業や石炭産業などによって、地域に雇用が生み出されてきたが、比較的早い段階でこのような地域の基盤産業が失われてしまったために、人口の流出が止まらず、著しい人口減少と高齢化が生じたのである。

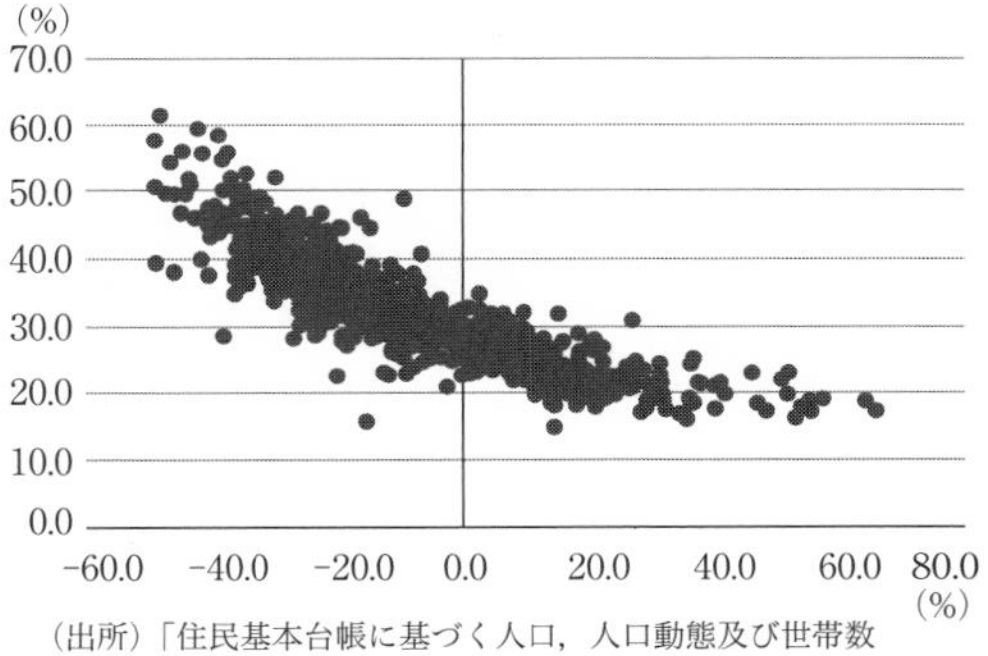

（出所）「住民基本台帳に基づく人口，人口動態及び世帯数調査」より作成．
（注）縦軸は高齢化率，横軸は人口変化率である．

図 1-1　人口変化率と高齢化率

さて、ここまで見てきた「人口」はいわゆる「夜間人口」であり、「定住人口」である。これ以外の人口として「昼間人口」というものがあり、夜間人口に通勤・通学による流入と流出を加減して求める。人々が通勤・通学でやってくる都心では、昼間人口が夜間人口よりはるかに多く、住宅地は昼間人口が少ない。し

表 1-2　昼間人口減少率の上位 20 市町村

（単位：%）

市町村名	減少率
福島県楢葉町	−63.7
福島県飯舘村	−52.1
奈良県川上村	−50.2
北海道歌志内市	−49.3
奈良県上北山村	−48.8
福島県川内村	−47.2
北海道夕張市	−46.2
奈良県野迫川村	−45.4
奈良県東吉野村	−45.1
北海道利尻町	−45.0
奈良県黒滝村	−44.8
和歌山県高野町	−43.1
群馬県南牧村	−42.5
長野県天龍村	−42.5
青森県今別町	−42.1
山梨県早川町	−41.6
北海道占冠村	−41.2
北海道上砂川町	−41.1
奈良県曽爾村	−40.2
山口県上関町	−40.2

（出所）「国勢調査」より作成．

たがって、経済活動の実態を示す人口はこちらの方が適切かもしれない。

表1-2は一九九五年から二〇一五年の二〇年間の昼間人口減少率が高い上位二〇市町村のデータを示したものである。こちらの数値は「国勢調査」に基づく数値であるため、表1-1のデータと若干の時期のずれがある。

東日本大震災と福島第一原子力発電所の事故の影響が著しく表れている市町村もあるが、この表からわかるように、表1-1で示した定住人口が大きく減少したところでは、通勤・通学による昼間の人口の流入が少ないために、そのほとんどで昼間人口も減少している。こうした市町村では経済活動も停滞しており、ここ二〇年ほどでかなり「寂れた」状態になったものと思われる。

なお、昼間人口が増加した市町村も含めた人口の変化率は平均でマイナス六・八％であるが、昼間人口が減少した市町村のみで人口変化率を計算すると、平均でマイナス一九・三％となっている。

労働力人口の減少

こうした市町村では、労働力人口の減少が著しい。表1-3は一九九五年から二〇一五年の二〇年間の労働力人口減少率が高い上位二〇市町村のデータを示したものである。

表1-2で示したデータと同様に、東日本大震災と福島第一原子力発電所の事故の影響が著しく表れている市町村もあるが、ここ二〇年間で労働力人口の減少もかなり進んでいることがわかる。ここでも北海道内市町村の多さが目立つ。

表1-3　労働力人口減少率の上位20市町村

（単位：%）

市町村名	減少率
福島県葛尾村	−99.0
福島県楢葉町	−82.7
奈良県川上村	−63.2
群馬県南牧村	−59.8
奈良県黒滝村	−53.0
北海道夕張市	−51.9
福島県金山町	−51.9
奈良県上北山村	−51.9
宮城県女川町	−51.8
長野県天龍村	−51.0
長野県大鹿村	−50.7
青森県今別町	−50.4
奈良県東吉野村	−50.0
北海道歌志内市	−49.9
鳥取県若桜町	−49.3
奈良県野迫川村	−48.4
山梨県早川町	−47.8
山口県上関町	−47.6
高知県大川村	−47.5
福島県三島町	−47.4

（出所）「国勢調査」より作成.

労働力人口が増加した市町村も含めた人口の変化率は平均でマイナス一三・八％であるが、労働力人口が減少した市町村のみで人口変化率を計算すると、平均でマイナス二〇・二%であった。

新型コロナウイルスの感染拡大以前、当時の安倍政権は、民主党政権期に比べ、地方においても有効求人倍率が高くなっていたことを強調していたが、地方の実情を踏まえれば、その背景には深刻な労働力人口の減少があることがわかる。有効求人倍率の高さは地域衰退の指標でもある(金子 二〇一六)。すでに見たように、人口減少が進んだ地域では高齢化がかなり進んでおり、そうした地域で介護の求人が多くなれば、有効求人倍率は高くなる。実際、地方において特に有効求人倍率が高いのは介護サービス関係である。

つまり、人口減少が「景気が良い」ように見せかける数字を作り出していただけだったといえる。

第2節　衰退を示す社会経済指標

商店数の減少

ここまで人口減少率という数値を用いて、地域衰退の状況について見てきたが、我々に「街が寂れた」という印象を与えるのは、特に商店街のあり様ではないだろうか。いわゆる「シャッター通り」は、地域の衰退の象徴として位置づけられている。

人口減少率、特に昼間人口の減少率の高い市町村では、商店数も減少傾向にある。表1-4は一九九七年から二〇一六年の約二〇年間の商店数の減少率が高い上位二〇市町村のデータを示したものである。東日本大震災と福島第一原子力発電所の事故の影響によって減少率が著しく大きい市町村もあるが、そうしたところ以外でも商店が激減しているところが多いことがわかる。

さらに、全体的な傾向を示すため、昼間人口変化率と商店数変化率の市町村データを散布図にして図1-2で示した。なお、外れ値の二自治体は図から除いている。この図から読み取ることができるように、二つの変数の間には正の相関関係があり、昼間人口減少率の高い市町村ほど商店数減少率が高くなっている。

表1-4 小売業商店数減少率の上位20市町村

（単位：%）

市町村名	減少率
福島県浪江町	−99.7
福島県富岡町	−99.5
福島県楢葉町	−94.5
宮城県女川町	−86.2
青森県西目屋村	−79.2
長野県朝日村	−77.5
福島県広野町	−75.3
奈良県下市町	−72.3
奈良県川西町	−71.3
京都府和束町	−71.1
福島県三島町	−70.7
岩手県大槌町	−70.7
福岡県糸田町	−70.4
大阪府千早赤阪村	−70.0
福島県昭和村	−69.8
群馬県南牧村	−69.2
山口県和木町	−69.1
山梨県早川町	−69.0
福井県池田町	−68.7
群馬県片品村	−68.4

（出所）「商業統計」より作成.

したがって、「昼間、

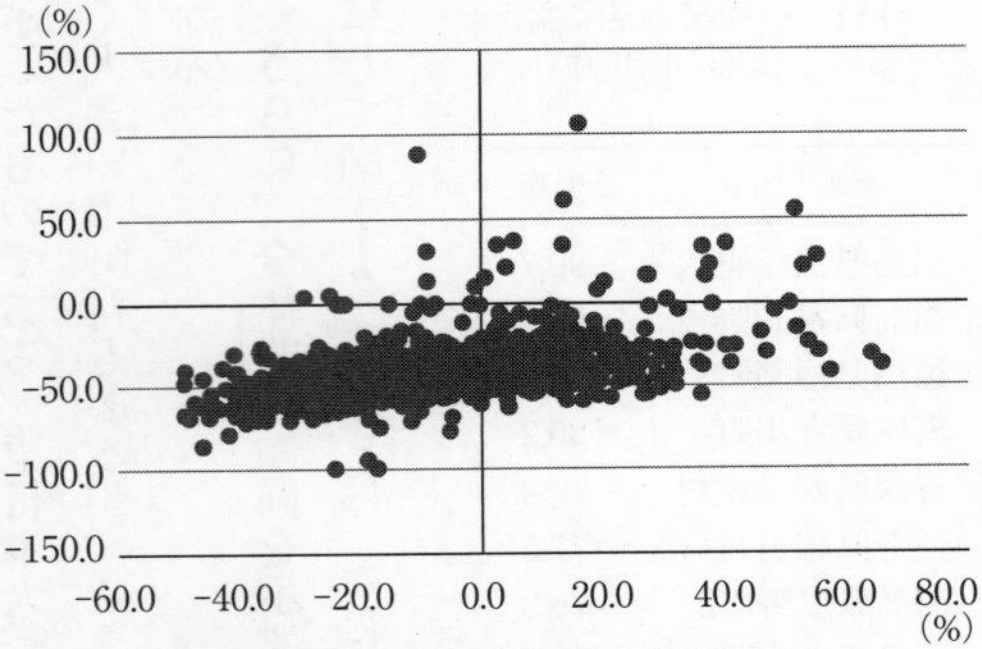

（出所）「国勢調査」および「商業統計」より作成.
（注）縦軸は商店数変化率，横軸は人口変化率である.

図 1–2　昼間人口変化率と商店数変化率

人通りのなくなったところでお店がどんどんつぶれていった」ということが日本全国で起こっていたことを数字の上でも確認できる。

高い水準の有効求人倍率が地方でも見られるようになっていた中でも、人々に景気回復の実感はなく、地域はどんどん寂れていった。一見すると、不思議な現象のようにも見えるが、何のことはない、人口減少が見せかけの「景気の良さ」を作り出していた一方で、地域衰退は着実に進行していたのである。

失業率の上昇

地域の有効求人倍率によって示される「景気の良さ」は見せかけだということを述べると、「地方でも経済の好循環が生まれているのだ」といった反論があるかもしれない。そこで、有効求人倍率ではなく、失業率のデータを用いてこのことについてもう少し考えてみよう。有効求人倍率のデータは市町村単位で得ることができな

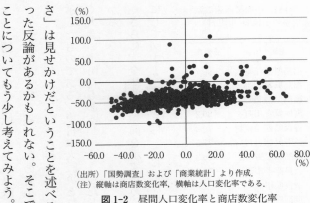

いためである。

一般に有効求人倍率は景気動向指数の一致指数であり、景気とほぼ同じタイミングで変化するという説明がなされる。一方、失業率は景気動向指数の遅行指数であり、実際の景気の後を追って動くといわれる。したがって、失業率が下がってくれば、少し前から「景気が良かった」ということになる。

表1-5は一九九五年から二〇一五年の二時点間の失業率の差が大きい上位二〇市町村のデータを示したものである。一五年の全国平均の完全失業率は三・四%であったが、それを大きく上回る市町村ばかりである。したがって、少なくともこれらの市町村では、一五年より前の

表1-5　失業率の変化の上位20市町村

（単位：ポイント）

市町村名	1995年と2015年との差
沖縄県伊是名村	6.8
長野県大鹿村	4.9
沖縄県伊平屋村	4.8
鹿児島県十島村	4.5
島根県知夫村	4.3
静岡県熱海市	4.3
北海道上砂川町	4.2
福島県鮫川村	3.8
沖縄県多良間村	3.8
群馬県大泉町	3.7
奈良県野迫川村	3.7
福岡県大任町	3.5
福島県鏡石町	3.5
福島県石川町	3.4
鹿児島県天城町	3.3
高知県田野町	3.3
宮城県柴田町	3.2
京都府和束町	3.1
沖縄県国頭村	3.1
宮城県七ヶ浜町	3.0

（出所）「国勢調査」より作成.

時点で一九九五年よりも景気が良くなったとは必ずしもいえない。
また、二時点間で容易に比較可能な非合併市町村一一五一市町村のうち、七割程度の七六五市町村の失業率は上昇している。こうした数値を踏まえれば、人々に景気回復の実感がないことは当たり前であろう。

地方都市の衰退

ここまで「率」で見た場合の地域衰退の状況を示してきたが、絶対数で見た場合、地域衰退の現状はまた違った見え方をする。

表1-6は一九九八年から二〇一八年の二〇年間の人口(定住人口)減少数上位二〇都市(政令指定都市、中核市、施行時特例市、その他の市)を示したものである。これらの都市では、表1-1に示した市町村ほど減少率は高くないものの、万人規模で人口が減少していることがわかる。人口減少は小規模自治体のみで生じているわけではなく、比較的規模の大きな都市でも生じている。

こうした規模の大きな都市については、製造業の衰退によって人口減少が生じたと指摘されることがあるが、その指摘は間違ってはいないものの、要因分析としては不十分である。こうした都市で人口減少が生じた理由の一つとして、製造業の衰退後に他の産業によって地域の雇用が吸収されなかったことが考えられる。

表1-7は一九九八年から二〇一七年までの約二〇年間の製造業従業者の減少数上位二〇自治体を示したものである。製造業の衰退による雇用の減少という意味では、地域衰退とは無縁と思われているような地域において、数が大きくなっている。

ただし、この表で示されている都市のうち、東大阪市、尼崎市、北九州市以外では、表1-6で示した都市全体の人口は逆に増加している。つまり、製造業従事者の減少が人口減少には必ずしもつながってはいない。製造業の衰退をカバーするだけの他の「何か」があるため、人口が減っていないのである。

しかしながら、人口の増減とは連動してい

表1-6　人口減少数の上位20都市

（単位：人）

市町村名	減少数
福岡県北九州市	−49,479
福島県いわき市	−38,671
北海道小樽市	−35,341
福岡県大牟田市	−27,484
和歌山県和歌山市	−25,175
神奈川県横須賀市	−23,773
北海道旭川市	−22,392
北海道室蘭市	−20,894
千葉県銚子市	−18,942
大阪府寝屋川市	−18,836
大阪府河内長野市	−14,399
栃木県足利市	−14,067
岩手県釜石市	−13,806
大阪府門真市	−13,558
大阪府松原市	−12,081
岡山県玉野市	−11,785
岡山県笠岡市	−11,499
大阪府富田林市	−11,218
山形県米沢市	−11,073
富山県氷見市	−10,921

（出所）「住民基本台帳に基づく人口，人口動態及び世帯数」より作成．

表1-7　製造業従業者の減少数上位20自治体

（単位：人）

市町村名	減少数
大阪府大阪市	−117,934
愛知県名古屋市	−67,233
神奈川県横浜市	−59,410
神奈川県川崎市	−49,674
東京都大田区	−29,112
東京都千代田区	−26,260
東京都新宿区	−22,200
東京都板橋区	−21,446
大阪府東大阪市	−20,291
福岡県北九州市	−19,998
東京都葛飾区	−16,834
東京都品川区	−16,384
東京都江東区	−16,348
兵庫県尼崎市	−14,802
福岡県福岡市	−14,777
東京都港区	−14,681
東京都中央区	−14,631
北海道札幌市	−14,557
東京都江戸川区	−14,066
東京都墨田区	−13,627

（出所）「工業統計調査」より作成．

ないとはいえ、この表から日本の製造業が着実に衰退していることは明らかである。

課税対象所得の減少

さらに、高齢化と産業の衰退などによって、課税対象所得の減少も著しい。表1‐8は一九九七年から二〇一七年までの二〇年間の納税義務者一人当たりの課税対象所得の減少率上位二〇市町村を示したものである。なお、課税対象所得とは各年度の個人の市町村民税所得割の課税対象となった前年の所得金額であり、納税義務者数は市町村民税所得割の納税義務者数である。本書では市区町村レベルの所得の分析を行うために、このデータを用いている。

この数値の減少にはさまざまな理由が考えられる。

まずこの二〇年間で、人数の多い団塊の世代など多くの人々が高齢者となり、年金生活に入ったため、現役時代に比べて収入が減少した人が増加した。それだけでなく、所得金額は年金収入から公的年金等控除額を差し引いて計算されるため、たとえ年間一〇〇万円程度の年金「収入」があっても「所得」はゼロになる。それゆえに、高齢化によって年金生活者が増加すれば、課税対象所得は減少することになる。

また、産業の衰退によって、現役世代の人々がリストラ、あるいはより低い賃金の職種への転換を余儀なくされた結果、課税対象所得が減少したということも考えられる。

いずれにせよ、市町村の側から見れば、課税対象所得の減少は、重要な財源である市町村民税の減少につながる。住民に対して公共サービスを供給するため、市町村には地方交付税や国

表 1-8　納税義務者１人当たり課税対象所得の減少率の上位 20 市町村

（単位：%）

市町村名	減少率
沖縄県渡名喜村	−39.4
大阪府豊能町	−38.8
新潟県粟島浦村	−38.4
茨城県利根町	−37.8
大阪府千早赤阪村	−34.9
埼玉県鳩山町	−34.3
沖縄県粟国村	−33.2
千葉県栄町	−33.1
東京都日の出町	−32.3
奈良県東吉野村	−32.3
大阪府能勢町	−31.3
沖縄県竹富町	−30.7
奈良県平群町	−30.5
北海道浦臼町	−30.5
奈良県安堵町	−30.4
兵庫県猪名川町	−29.0
奈良県三郷町	−29.0
大阪府太子町	−28.9
大阪府河内長野市	−28.9
沖縄県大宜味村	−28.8

（出所）「市町村税課税状況等の調」より作成.

表 1-9　病院数がゼロになった市町村

北海道	夕張市
	当別町
	寿都町
	黒松内町
	喜茂別町
	京極町
	由仁町
	沼田町
	上川町
	幌加内町
	苫前町
	豊富町
	幌延町
	佐呂間町
	新冠町
	上士幌町
	釧路町
	羅臼町
青森県	鶴田町
	六戸町
	田子町
岩手県	岩手町
	紫波町
	金ケ崎町
	住田町
	九戸村
宮城県	村田町
	女川町
山形県	金山町
福島県	泉崎村
	棚倉町
	石川町
	大熊町
	双葉町
	浪江町
埼玉県	越生町
	長瀞町
千葉県	神崎町
神奈川県	二宮町
岐阜県	川辺町
	東白川村
静岡県	南伊豆町
愛知県	東浦町
	南知多町
三重県	川越町
大阪府	田尻町
和歌山県	高野町
香川県	土庄町
熊本県	宇土市
	水上村
宮崎県	三股町
	西米良村
	諸塚村

（出所）「医療施設調査」より作成.

庫支出金といった財源が国から交付されるものの、税収の減少は公共サービスの低下をもたらす可能性がある。課税対象所得の減少は、単に人々が私的な財・サービスを購入するための資金が減るということだけを意味するのではないのである。

病院数・医師数の減少

所得の低下に加え、人々の命にかかわる医療の現状からも地域衰退の現実が浮かび上がる。

表1-9は一九九八年から二〇一八年までの二〇年間で病院(入院用のベッドが二〇床以上)の数がゼロになった市町村を示したものである。こうした市町村は全国で五三あり、この二〇年間で病院へのアクセスに著しく困難を抱えるようになった地域が少なからずあることがわかる。なお、全体の三分の一程度を北海道の市町が占めており、人口減少の影響がこうしたところにも表れている。また、別の三分の一は東北地方であり、北海道・東北地方の地域医療の厳しい状況がうかがえる。

病院にとどまらず、この二〇年間で医師の数がゼロになった自治体もある。表1-10は一九九六年から二〇一六年までの二〇年間で医療施設に勤務する医師数がゼロになった町村を示したものである。こうした町村は全国で二一ある。こうしたところにはもちろん大きな病院はな

表1-10 医師数がゼロになった町村

北海道	占冠村 豊頃町
青森県	西目屋村 佐井村
岩手県	田野畑村
秋田県	藤里町
福島県	大玉村 古殿町 双葉町 浪江町 飯舘村
群馬県	南牧村
埼玉県	東秩父村
長野県	平谷村 売木村
京都府	伊根町
奈良県	三宅町
徳島県	佐那河内村
高知県	大川村
熊本県	五木村
沖縄県	伊是名村

(出所)「医師・歯科医師・薬剤師調査」より作成.

表1-11　高校数がゼロになった市町村

北海道	赤平市 木古内町 古平町 仁木町 由仁町 愛別町 中川町 増毛町 様似町
青森県	大鰐町
岩手県	田野畑村
宮城県	女川町
山形県	飯豊町
福島県	川内村
栃木県	塩谷町
埼玉県	ときがわ町
千葉県	勝浦市
静岡県	吉田町
和歌山県	すさみ町
岡山県	久米南町
高知県	仁淀川町 大月町
宮崎県	高原町
鹿児島県	大崎町

(出所)「学校基本調査」より作成.
(注) 2010年現在.

く、「町のお医者さん」にかかるにも自治体の外に出なければならなくなっている。

高等学校数の減少

自治体の中から消えてしまったのは病院や医師だけではない。高等学校がゼロになった自治体もある。表1-11は二〇一〇年から一六年までの六年間で高等学校数がゼロになった市町村を示したものである。なお、本章では二〇年間を基本として、市町村の変化について見てきたが、データの制約から市町村別データでさかのぼることができる最も古い二〇一〇年のものを用いた。

表からわかるように、わずか六年の間に二四の市町村で高等学校が消滅している。他の表と同じように、二〇年間というスパンで比較することができれば、おそらくさらに多くの市町村で高等学校数がゼロになっているものと思われる。

高等学校は昼間人口だけでなく、若者の地元定着という意味で重要な役割を果たしている。その意味で、これらの市町村は厳しい状況に陥っているといえよう。高等学校がなくなるのは少子化が進んだことが一因ではあるが、高等学校がなくなることによってさらに一層少子化が進んでいく可能性があり、さらなる悪循環に陥る可能性があるといえる。

表 1-12　空き家率の上位 20 市町村(2018 年)

(単位：%)

市町村名	空き家率
山口県周防大島町	30.0
鹿児島県肝付町	26.1
岩手県山田町	25.7
高知県室戸市	25.5
高知県土佐清水市	24.1
三重県熊野市	23.5
三重県紀北町	23.2
和歌山県串本町	22.8
大分県竹田市	22.5
広島県江田島市	22.1
鹿児島県南九州市	22.1
長崎県新上五島町	22.1
愛媛県内子町	22.0
鹿児島県南さつま市	21.9
広島県北広島町	21.5
三重県尾鷲市	21.3
鹿児島県志布志市	21.3
高知県安芸市	21.3
広島県世羅町	21.1
岐阜県揖斐川町	20.6

(出所)「住宅・土地統計調査」より作成.

増えたのは空き家

ここまで、減ったもののばかりを取り上げてきたが、逆に増えているものがある。それは空き家である。表1-12は二〇一八年時点の空き家率が高い上位二

○市町村を示している。ここでは、数年間の変化ではなく、二〇一八年時点の「ストック」について見ている。

ここでいう「空き家」は「居住世帯なし」の住宅のうち「その他の住宅」を指している。それゆえ別荘は含まれていない。また、「住宅・土地統計調査」の調査対象は市と人口一万五〇〇〇人以上の町村であるため、一万五〇〇〇人未満の町村は含まれていない。さらに、上位二〇位以内に合併市町村が一つ含まれていたが、それについては除いている。

なお、宗(二〇一七)によれば、「住宅・土地統計調査」の空き家率は過大推計されている可能性がある。これは、この調査の調査員が空き家を外観で判断することになっており、実際には居住・利用があるものが空き家としてカウントされている可能性があるためである。しかし、全国的なデータがこの他になく、また筆者が独自に正確な空き家率を推定することは不可能であるため、このデータを用いている。

二〇一八年時点で空き家率が最も高い山口県周防大島町は島にある町であるが、空き家率が三割にも上っている。また、上位二〇位すべての自治体で二割を超えている。なかでも、西日本にある市町村の空き家率の高さが目立つ。これら上位二〇市町村では、この一〇年間で平均七・七ポイントの空き家率の上昇が見られる。

この調査で対象外となっている人口一万五〇〇〇人未満の町村の空き家率の現状は明らかではないが、それが著しく低いということは考えにくい。地域的な偏りはあるものの、空き家問題も地域に暗い影を落としている。

止まらない地域衰退

ここまで見てきたように、日本の地域は、人口減少、少子高齢化、産業の衰退によって、かなり厳しい現実に直面している。国は「地方消滅」を煽りつつ、問題を解決しようと二〇一四年から「地方創生」を推進しているが、短期間で衰退を食い止めるには至っていない。

国は「地方創生」を推進する前から、様々な政策を行うことによって、地域を発展させようとしてきた。一九六二年に策定された「国土の均衡ある発展」を目指した全国総合開発計画(全総)はその始まりである。その後、六〇年ほど地域の発展を目的とした数多くの政策が行われてきたが、今日のような地域の衰退を食い止めることはできなかった。

では、どうして地域の衰退は止まらなくなってしまったのか。次章でそのメカニズムについて、より具体的に説明することにしよう。

コラム1◆空き家問題と地方財政

第1章の終わりに空き家率について取り上げたが、空き家問題によって、地方税(道府県税・市町村税)、特に固定資産税の徴収困難という事態が起こる可能性がある。固定資産税は、土地・家屋・償却資産に課される地方税である。同税は市町村税の四割程度を占めており、重要な税目の一つである。

空き家問題は、なぜ同税の徴収を困難にするのであろうか。ここで、宮﨑(二〇一八a)の議論に依拠しながら説明しよう。

「平成二八年 国民生活基礎調査」によれば、二〇一六年時点で固定資産税課税世帯のうち五一・七%が六五歳以上である。したがって、あと二〇年もすれば、現在課税対象となっている土地・家屋のうち半数程度を子どもの世代が相続することとなる。しかし、子どもの世代が他の地域に移り住んでいて、実際に居住していない場合などは、相続のタイミングで所有者不明の空き家となる可能性がある。そうなれば、これらの土地・家屋に課される固定資産税は徴収困難となる。

国は、現在は任意となっている相続時の登記(ここでは相続した不動産の客観的状況と権利関係を登記簿という公の帳簿に記載すること)を義務としたいようだが、相続放棄が続出すれば、相続時の登記が義務化されても、自治体は税収を得ることができない。また、所有者がいない土地・家屋が数多く存在することになれば、地域にとっても影響は大きい。

吉原(二〇一七)によれば、すでにこうしたことは現在の空き家問題にも現れている。「所有者不明」の土地・家屋については、多くの自治体で固定資産税の徴収が難しくなっている。そして、このような自治体のほとんどで特段の対策は行われていない。自治体の中には「対策はとりたいが、やり方がわからない」というところもあり、問題への対応の難しさがうかがえる。さらに、相続放棄も増えているが、相続放棄された財産について、その管理・清算を行う相続財産管理人の選任の申し立てが行われるのは、費用対効果の面などから限定的であるという。自治体は、税を徴収することを諦める「不納欠損処分」とせざるを得なかったり、徴収が困難である場合にやむなく課税対象からいったん外す「課税保留」を行ったりするなどして対応しており、相続放棄は徴税実務に影響を与えている。

第1章では空き家率を取り上げ、地方圏の自治体で特に高くなっていると述べたが、空き家数は大都市圏で多い。ちなみに、数が全国で最も多いのは特別区である。空き家問題は地方圏だけの問題ではなく、量的に見れば大都市圏においても大きな問題であるといえる。こうしたことから、空き家問題に起因する固定資産税の徴収困難は全国的に広がる可能性がある。

空き家問題は、資源の過少利用の問題として捉えることができ、森林資源の放置や耕作放棄地の問題と根っこは同じであるといえる。今後、我々は資源の過少利用から生じる様々な問題に対処していかなければならない。

第2章

衰退のメカニズム

本章では、前章で示した地域の衰退がいかにして進んだのかというメカニズムについて、具体例を挙げて論じていく。特に地域に雇用を生み出してきた基盤産業の衰退がどのような形で地域の衰退につながっていったのかを明らかにする。

本章で取り上げるのは、製造業、リゾート(個人向けサービス業)、建設業である。これらは、地域において雇用を作り出してきた代表例だからである。これらの衰退が地域に与えたインパクトを見ていこう。

第1節　製造業の衰退と「企業城下町」の終焉

製造業従業者数の減少

前章で製造業従業者の減少数が多い自治体について見たが、日本全体で見ても、その減少幅は大きい。図2-1は一九九八年から二〇一七年までの約二〇年間の日本全体の製造業従業者の推移を示している。一九九八年には約九八四万人いた製造業従業者は、近年は増加する傾向にあるものの、二〇一七年には七七〇万人にまで減少している。二〇年でおよそ二割の減少である。他方、他の業種も含めたすべての就業者数は一九九七年に約六五五七万人、二〇一七年に約六五三〇万人と二七万人の減少にとどまっており、製造業の雇用の減少が著しいことがわかる。

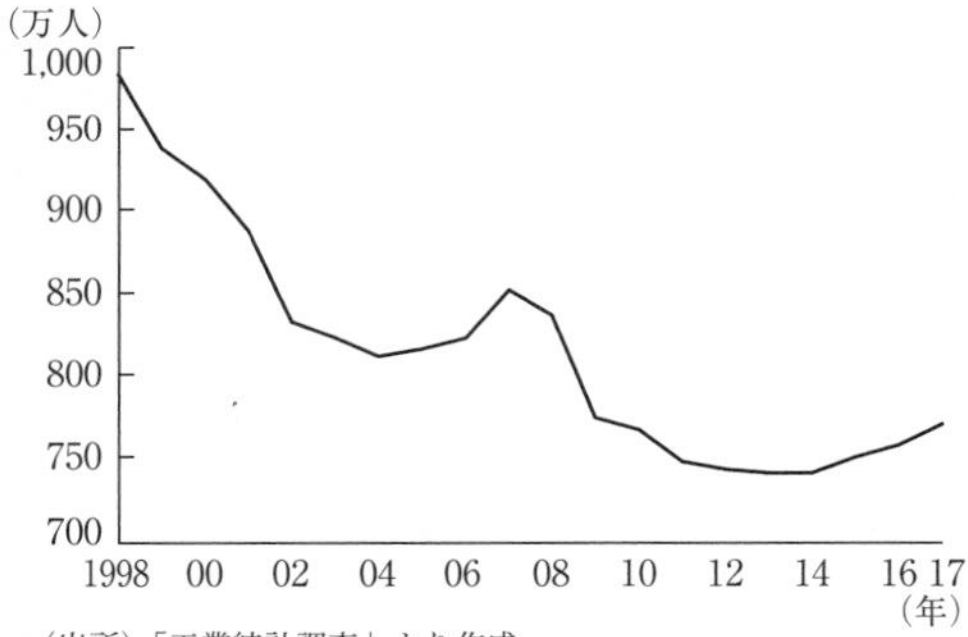

(出所)「工業統計調査」より作成.

図 2-1 製造業従業者数の推移

製造業の衰退による雇用の減少は地域に深刻な事態を招いており、特に「企業城下町」と呼ばれる自治体においてはその影響が大きい。企業城下町とは、特定の大企業を中心に地域経済が発展し、住民はその企業や下請企業への雇用機会が与えられるような自治体である。繁栄がもたらされる反面、企業の業績に影響されやすく、工場等の移転・閉鎖・縮小が地域全体の衰退を招きかねない。

企業城下町の代表例としては、トヨタ自動車のある豊田市、日立製作所のある日立市などが挙げられる。このような有名な都市以外にも、たとえば、筆者が一八歳までを過ごした長野県須坂市も、富士通須坂工場があった、人口約五万人の小さな企業城下町であった。しかし、二〇〇二年の同工場のリストラをきっかけに、地域経済は衰退の一途をたどっている。そこで、以下では須坂市を例に、企業城下町における工場の撤退が地域衰退にどのようにして影響を与えるのかを見てみよう。

富士通の城下町だった須坂

須坂市は、長野市の東隣に位置する小都市である。同市は一九二〇年代までは製糸業で栄えた町であり、当時、生糸はアメリカにも輸出された。しかし、二九年の世界恐慌によって対米輸出が減少すると、製糸業は一気に衰退した(須坂市ウェブサイト「須坂の製糸業　その繁栄と衰退」)。その後、第二次世界大戦の激化によって、須坂にはいくつもの工場が疎開してきたのだが、そのうちの一つに富士通信機製造株式会社(現在の富士通株式会社。以下、富士通)があった。

富士通は、一九四二年に、遊休工場となっていた製糸工場を従業員つきで買い取った。そして、元従業員を実習生として川崎工場に派遣して作業実習を行った上で、電話機などの製造を開始した。これが富士通須坂工場の始まりである。こうした全従業員を引き継いでの企業転換は日本で初めての試みであったため、当時各方面から注目され、その成果は高く評価されていた(富士通信機製造株式会社社史編集室編著　一九六四)。

さらに富士通は、戦時体制下に出されていた企業整備令に基づいて、閉鎖されていた地元製糸業者を下請生産に組み込み、軍需生産を行った。敗戦後は、多くの疎開企業が京浜方面に引き揚げる中で、同社とその関連工場のみが残った。一九五〇年代には電電公社の二期にわたる拡充計画や国鉄の近代化などによって需要が急増するのに対応して、施設の充実と従業員の増加をはかり、須坂にゆるぎない地盤を築いた(信州地理科学研究会編著 一九七三)。須坂が近隣農村と合併し、「町」から「市」になったのもこの頃である。

一九五〇年代の終わりになると、須坂工場は電話機の製造から電子部品の製造・組立の専門工場として生まれ変わり、同社が技術援助をしながら下請工場群を作り上げた(同右)。

この頃、富士通須坂工場の従業員は一〇〇〇人から二五〇〇人となり、下請工場を含めると市内労働者の過半数が富士通関係の仕事に従事するほどになった(須坂市史編纂委員会編 一九八一)。須坂市は、まさに富士通を「城主」とする企業城下町であった。

一九六〇年代半ばになると、須坂市内だけでなく、市外の通勤可能な地域からの労働力吸収が終わり、労働力不足が深刻化してきた。そこで、富士通は通勤圏外の周辺農村に通勤バスの運行を開始したり、新しく下請工場を設立したりして、周辺地域からも労働力を集めた。このようにして、富士通を核にして内陸地域の一小都市に労働集約的な電子部品工業が発達した

(信州地理科学研究会編著 一九七三)。

一九七〇年代から九〇年代にかけての動き

高度経済成長期を終わらせた一九七三年のオイルショックは、須坂市の電子部品工業に大きな打撃を与えた。同社はパート労働者を整理し、下請企業への発注を減らした。しかし、当時、出荷額はあまり落ち込んでおらず、不況の中で在庫調整をする一方で、徹底した合理化が進められた(須坂市史編纂委員会編 一九八一)。

図2-2は一九七一年から二〇一七年までの須坂市の製造品出荷額を示したものである。この図からわかるように、オイルショック後の一九七五年に一時減少したが、その後増加している。数値が再び減少したのは一九八六年である。

この頃、富士通は円高への対応を迫られており、すでに一九八一年には安価な労働力を求めてマレーシアに工場を設立し、須坂工場の量産品の生産を移していた。しかし、それでも円高による輸出不振が続き、須坂工場の部品専門工場自体の見直しが迫られていた。こうした中で八六年末にはパート六〇人以上を解雇し、一〇人前後の従業員を国内外のグループ会社へ出向させ、系列子会社の工場の閉鎖、下請けへのコストダウン要請や発注減などを断行した。

さらに、付加価値の高い大型コンピュータの完成品を生産する富士通長野工場の事業拡大方針を背景に、北信地方(長野市を中心とした須坂市を含む長野県北部)全体の富士通グループの再編成が一九九一年まで行われた。これは付加価値の低いものは海外生産へ、高いものと新製品の開発は国内工場で、という富士通全体の戦略でもあった(信州地理研究会編著 一九九三)。

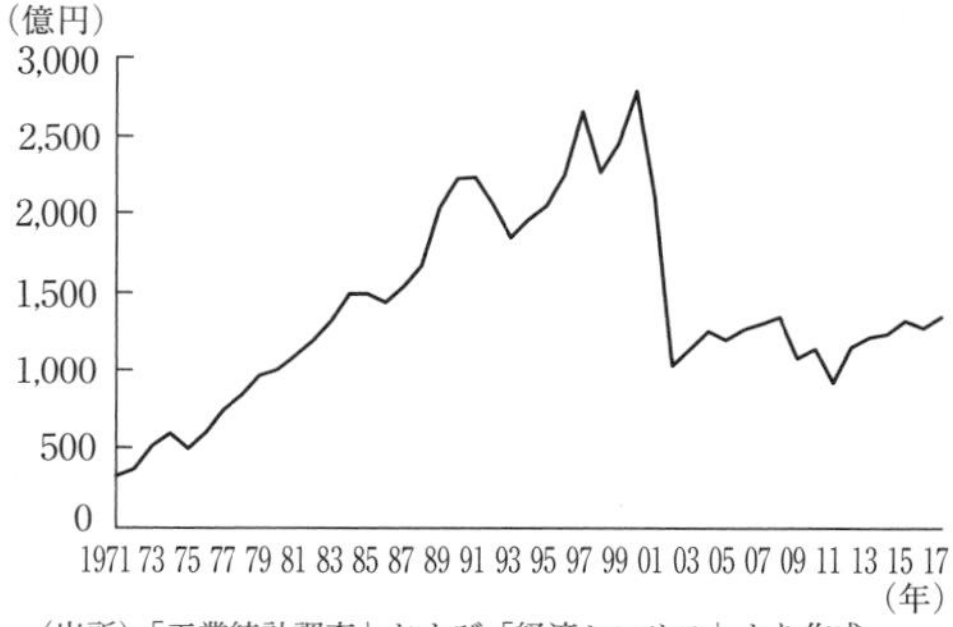

(出所)「工業統計調査」および「経済センサス」より作成.

図 2-2 須坂市における製造品出荷額の推移

図2-3は一九六四年から九〇年までの富士通須坂工場の従業員数の推移を示している。すでに述べたように、六〇年代に従業員数は増加し、七〇年代のはじめには約三〇〇〇人になったが、後半には約二〇〇〇人、九〇年頃には約一五〇〇人になっていた。

こうした八〇年代における一連のグループ再編成は「終わりの始まり」であったかもしれないが、九〇年代には新たな動きも見られた。九五年になると、富士通は他社と合併して須坂市内で新会社を設立した(富士通コンポーネントウェブサイト「沿革」)。

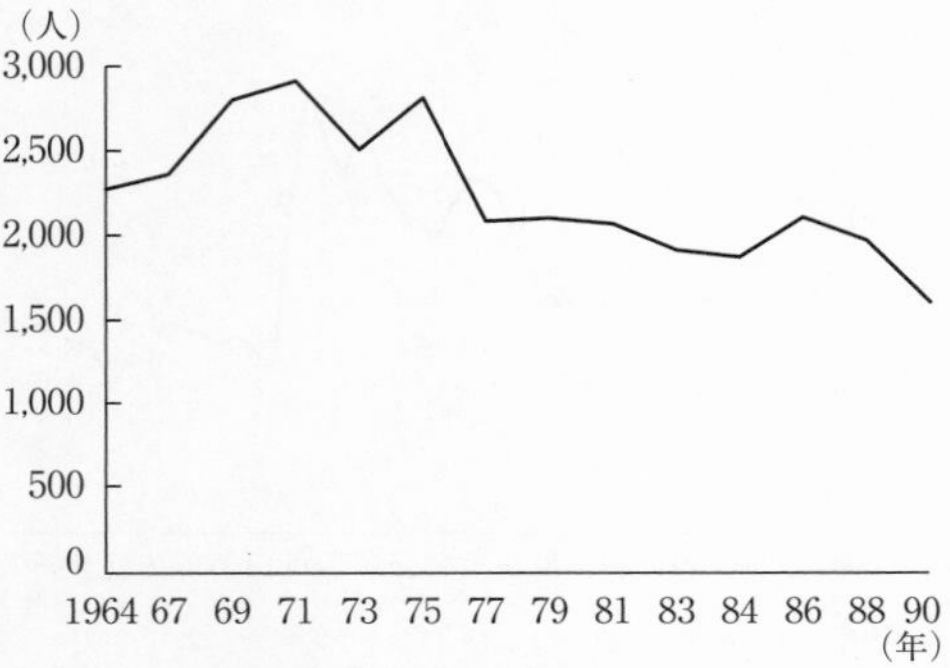

（出所）信州地理研究会編著（1993）53ページより作成.

図 2-3　富士通須坂工場における従業員数の推移

また、一九九六年には、業界に先駆けて、須坂工場でノートパソコンや携帯電話などの小型・軽量化を図る部品を量産化した（「信濃毎日新聞」一九九六年一〇月二日朝刊）。さらに、九八年には、急成長が見込まれた携帯機器向けの電子部品市場で、開発から生産・販売にわたる全面的な競争力の強化を図るため、ＩＴ関連会社を吸収して新会社（富士通メディアデバイス）を設立した（同右、一九九八年六月五日朝刊）。

こうしたことを背景に、須坂市の製造品出荷額は若干の変動はあったものの、二〇〇〇年まで増加していた。ＩＴ関連事業が城下町の経済を支えたのである。

「富士通城下町・須坂」の終焉

そうした中で、二〇〇二年夏、須坂市に大きな衝撃が走った。同年七月、富士通長野工場と須坂工場で約三〇〇〇人の社員を対象に早期退職の募集が始まったのである。さらに須坂工場内に量産部門を置いていた二つの系列会社が閉鎖されることが明らかになった(同右、二〇〇二年七月二〇日および二五日朝刊)。早期退職の対象となった約三〇〇〇人のうち、約二四〇〇人が応募し、そのうちグループから完全に離れたのが約一八〇〇人、残りは北信地方の関連会社に転籍することになった。須坂工場では約一〇〇〇人が退職に応募した(同右、二〇〇二年九月二一日朝刊)。

この富士通のリストラによって、図2-2に示した製造品出荷額は二〇〇二年には一〇一八億円となり、前年に比べて半減した(ピーク時の前々年と比べると四割弱の水準)。グラフからも急激な落ち込みは明らかだろう。

先に述べたように、須坂市内には富士通の下請企業が数多く存在していたが、この動きを受けて、多くが倒産・廃業した。資料の制約もあり、十分なものではないが、『須坂市工場名簿一九九二』に掲載されていた「電気機械器具」の一〇八事業所を『ハローページ長野県長野版(二〇一九年九月)』(電話帳)で確認したところ、存続しているのを確認できたのは三割弱であった。生き残ったところは新たな取引先を見つけ、自立できたのかもしれないが、そうでないところがほとんどであったと思われる。

富士通のリストラは、須坂市の経済にも大きな影響を及ぼした。図2-4は一九七四年から

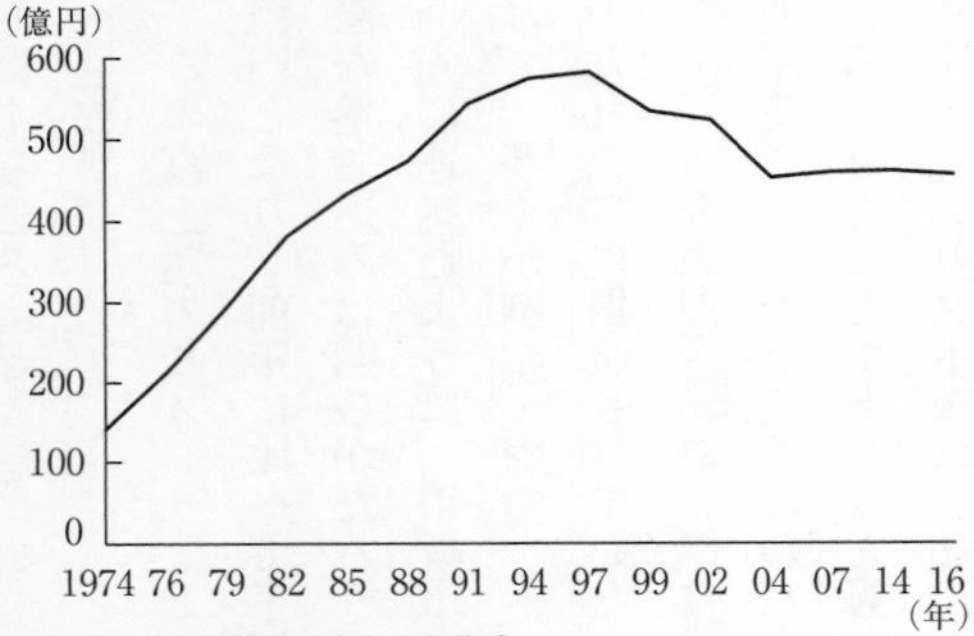

(出所)「商業統計調査」より作成.

図 2-4　須坂市における小売業年間商品販売額の推移

二〇一六年までの小売業年間商品販売額の推移を示している。一九九七年までは増加傾向にあったこの値は、それ以降減少していることがわかるが、リストラ後の調査年である二〇〇四年に大きく減少し、その後、四五〇億〜四六〇億円ほどで横ばいになっていることがわかる。

須坂市の小売業は一九九〇年代後半にはすでに衰退が始まっていたが、リストラのインパクトは非常に大きく、その衰退に拍車をかけた。

須坂市の中心街には、商業ビル(フジ会館・ナガイ)と共同店舗「須坂ショッピングセンター」が存在し、かつては買い物客であふれた。しかし、商業ビルは老朽化のため二〇一四年に閉店し、その土地は近隣の医療法人が取得した。また、須坂ショッピングセンターも道路に面した数店が営業しているのみのシャッター通りになった。

写真は解体を待つ商業ビルと人通りのない須坂ショッピングセンター通りの様子を写したもので

須坂市の中心街の現状(筆者撮影)

ある。中心街の衰退は多くの市町村で見られるが、須坂市も相当深刻な状況である。筆者が子どもの頃、親に連れられて何度もここに来たが、こうした光景を目にすると、本当に切ない気持ちになる。

さて、こうして須坂市に大きなインパクトを与えた富士通のリストラは、その後、次のように展開した。まず、先述した富士通メディアデバイスという一九九八年に設立された会社が、二〇〇九年に主力の通信デバイス事業を、コンデンサーなどを製造する太陽誘電(本社・東京)に譲渡し、翌年には解散してしまった(太陽誘電ウェブサイト「富士通メディアデバイスの通信デバイス事業の譲り受け(子会社化)の完了に関するお知らせ」、および富士通ウェブサイト「富士通メディアデバイス解散によるWEBサイト閉鎖に関して」)。さらに、その太陽誘電も一四年に須坂工場(社員約三五〇人)を東京都青梅市の新工場に移転してしまったのである（「信濃毎日新聞」二〇一四年五月一六日朝刊）。

このようにして、企業城下町としての須坂市は終焉を迎えた。

「城主」企業の縮小・撤退の影響

ここまで、須坂市の事例を見てきた通り、特定の大企業を中心に地域経済が発展した企業城下町でのリストラは、地域全体の衰退を招く。多様性に欠けた地域経済の構造は、非常に脆弱であった。こうした企業城下町の衰退は、須坂市だけでなく、全国各地で起こっている。

たとえば、福島県会津若松市では、一九六七年以来、須坂市と同様に富士通の工場が地元経済と雇用を担ってきた。ピーク時で五〇〇〇人、製造品出荷額の四割以上を占めてきた（中村二〇一四）。しかし、二〇一四年に富士通が半導体事業の再編を行って以降、雇用も製造品出荷額も大幅に減少している。「工業統計調査」のデータによれば、「電子部品・デバイス・電子回路製造業」の従業者数は、〇八年の三九六七人から一七年には一六〇五人に減少し、製造品出荷額は約一〇三二億円から約三三七億円に減少している。

このように、「城主」企業の縮小・撤退は、企業城下町の経済に大きな打撃を与えることになる。地域経済が「城主」企業の工場に依存していたため、それが失われることのインパクトは大きいのである。

第2節　リゾート開発と自治体財政の危機

村営おんたけスキー場の衰退

地域衰退は、製造業の衰退のみによって起こるわけではない。次に取り上げるのは、地域振興のためのリゾート開発が自治体の財政危機を招いた、長野県王滝村の例である。

王滝村は、二〇二〇年現在、人口七〇〇人余りの村であり、面積は三一〇・八六平方キロメートルで、村としては長野県で一番、全国で一一番目の広さとなっている。ただ、九七％が森林原野であり、三％の利用地は王滝川沿いに点在している。また、王滝村の年間平均降水量は約二五〇〇ミリで、長野県でも有数の多雨地帯であり、村内には牧尾ダム、三浦ダム、滝越ダムがある(王滝村ウェブサイト「王滝村の概要」)。

これらのダムの中で一九六一年に完成した牧尾ダムは、愛知用水に水を供給しており、愛知県を工業県にした原動力でもあった。ただし、五集落がダム湖に飲み込まれ、村は耕地も人口も三分の一を失った。村がスキー場の建設に乗り出したのは牧尾ダムの建設がきっかけであった。補償金二億一〇〇〇万円を元手に御嶽山開発に乗り出したのである（葉上 二〇〇九）。

王滝村は、江戸時代から御嶽信仰で栄え、明治時代以降も御嶽山への登山と百草丸という胃腸薬のために、多くの人が訪れた。もともと「御嶽があればほうっておいても来てくれる」というような村であった。また、村内の森林面積の八七％は国有林であり、昭和三〇年代は天然ヒノキを伐採し、都市部へ大量に運び出した。王滝村は「林業の村」でもあった（信濃毎日新聞社編集局編 二〇〇七）。

村が建設した村営おんたけスキー場のピーク時の来場者数は、六六万八〇〇〇人を数えた。村は、来場者数のピークを過ぎた一九九四年度以降もリフトの更新、入浴施設建設等の設備投資を続けた。その財源のほとんどは地方債であった。その後、スキー場の来場者数の減少は続き、二〇〇二年度シーズンには地方債を返済するための採算ラインである二〇万人を下回るまでになった。そして、スキー場のための特別会計では地方債の返済が不可能になり、普通会計からの補助金で債務を返済することを余儀なくされた（橋本 二〇〇八）。

なお、一九九四年度はリフト架け替えなども含めスキー場への投資が約一六億円に上り、地方債を発行して七億五〇〇〇万円を借り入れている。その結果、九四年度末の長期債務残高は四八億五二〇〇万円に達していた（信濃毎日新聞社編集局編 二〇〇七）。

図2-5はスキー場の来場者数の推移を示したものである。グラフの西暦と先述の「シーズン」（スキー場は一二月から翌年の春まで営業するため、西暦の年とシーズンの年は一致しない）とで若干のずれがあるが、二〇〇三年以降、二〇万人を下回り、〇五年以降は一〇万人をも下回るようになっている。

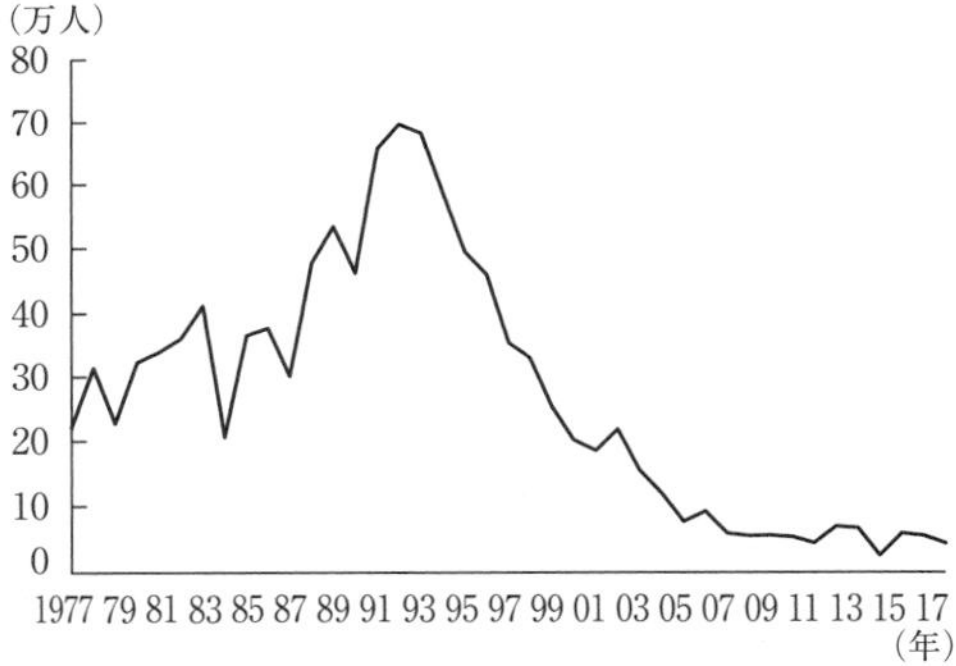

（出所）王滝村ウェブサイトのデータより作成.

図 2-5　おんたけスキー場来場者数の推移

スキー場のための特別会計では返済が難しいほど長期債務が膨れ上がる中で、すでにスキー場の赤字は一九九八年度の段階で生じており、約一億円の赤字決算となっていた。翌九九年度には赤字は約三億三八〇〇万円に拡大し、資金繰りは一気に苦しくなった。冬期に収益が集中するスキー場経営は、夏期に資金が不足しやすいため、村は年度初めの四月に一時借入金を調達し、冬の売上で返済するパターンを繰り返してきたが、年度内に返すべき一時借入金が九九年度末には二億八〇〇〇万円残った。翌年度は、その分を上乗せして一時借入金を調達した。借金を返すために借金を膨らませていく「自転車操業」が始まっていった。さらに、二〇〇一年度からは三年連続で、債権者の木曽農協に頼み込み、返済を一〇年度に先送りしてもらった。

二〇〇二年秋に、事態を打開するためのスキー場民営化計画案がまとめられたものの、実現することはできず、役場幹部職員の退職も相まって、「空白の時」が過ぎていった(同右)。

町村合併からの「排除」

スキー場経営が悪化する中、王滝村の存続自体についても悲観的な見方が示され、村は町村合併へと突き進んでいった。しかし、結果的には合併を断念せざるを得なくなる。以下、長野県地方自治研究センター(二〇一二)に基づいて、その顚末を見てみよう。

小林正美村長(当時)は、二〇〇二年六月の王滝村議会全員協議会で「厳しい村財政などから合併は避けて通れない」として「木曽市構想」による任意協議会参加の考え方を示した。同年一二月には一六歳以上の村民を対象としたアンケート結果が示され、村の将来の姿を聞いた設問で五〇・六%の村民が「合併」を選択した。合併を選んだ理由は、「財政的にやっていけない」という回答が四〇・七%と最も多かった。翌年三月には村議会で、木曽郡中北部七町村の法定合併協議会の設置議案を賛成八人、反対一人で可決した。

二〇〇四年三月に開催された、王滝村、木曽福島町、日義《ひよし》村、開田村、三岳村、上松《あげまつ》町、木祖村との七町村の合併協議会では、王滝村長は村の抱えるスキー場債務について、村の基金をすべて使い、滞納分を解消する方針を示した。木曽農協などからの債務額は約二二億円で、〇一年度から元金の支払いが滞っており、累積額は〇五年度までで八億四八〇〇万円となっていた。村には財政調整基金や減債基金など九つの基金があり、〇五年度末の残高九億四〇〇万円から牧尾ダムの堆砂事業(ダムに溜まった土砂を取り除く事業)に必要な九一〇〇万円を差し引いた八億一三〇〇万円を活用し、不足する三五〇〇万円については村財産の処理で対処するとした。

その後、木祖村と上松町が合併協議会から離脱し、二〇〇四年一〇月には五町村による任意合併協議会を発足させる方針が確認された。しかし、王滝村が抱える村営スキー場関係の多額の長期債務が、合併後の自治体に持ち込まれた場合、五町村の枠組みでは背負いきれないと判断された。結局、村営おんたけスキー場が抱える債務を他町村が納得できる水準まで縮減することは難しく、王滝村は事実上、「(他町村から)排除された」(村長)。

村営おんたけスキー場の債務問題で合併が不可能となり、村は「財政非常事態」を宣言した。問題が尾を引く中、二〇〇五年九月に議会解散に係る住民投票が行われ、有権者の七割が解散に賛成し、一〇月の出直し選挙で七人が無投票で当選した。そして、〇六年一月には村議会との対立から村長が辞職し、村は新たな村長の下で自立の道を歩むこととなった。

自治体財政健全化法と「財政危機」

村長の辞職表明で幕があけた二〇〇六年一月、策定に一年を要した王滝村自立計画がまとめられた。自立計画には、「財政運営シミュレーション」が添えられており、各種補助金の廃止、診療所歯科部門の休止、人件費の圧縮等の歳出削減が示された。新村長の下、〇六年度の予算は、シミュレーションの内容に近いものとなり、各種補助金の廃止、診療所歯科部門の休止等がそのまま予算化された。職員の人件費については、給与および期末勤勉手当を二五％削減することで職員組合と合意し、予算案とされた(橋本 二〇〇八)。

翌二〇〇七年には、「地方公共団体の財政の健全化に関する法律」(以下、自治体財政健全化法)が公布され、健全化判断比率(実質赤字比率、連結実質赤字比率、実質公債費比率、将来負担比率)および資金不足比率の公表に関する規定は〇八年四月一日から施行され、〇七年度の決算に基づく数値が公表されることとなった。

健全化判断比率のうち、自治体の借入金の返済額(公債費)の大きさを、その自治体の財政規模に対する割合で表した「実質公債費比率」の早期健全化基準(「財政健全化計画」を年度末までに策定)は二五%、財政再生基準(「財政再生計画」を年度末までに策定)は三五%である。王滝村の実質公債費比率は、スキー場会計の債務返済ピークである二〇一〇年度までは単年度の比率が四〇%前後で推移することが見込まれていたため、「財政再生団体移行」=財政破綻は不可避であると考えられた(同右)。

しかし、村はある奇策を用いてこれを回避した。先述の緊縮策により財政調整基金約三億五二〇〇万円が積み上がっていたため、これを活用してスキー場の大口返済のうち二〇〇八年度分二億四九〇〇万円を〇七年度末に繰上償還したのである。

実質公債費比率の計算は、制度上、繰上償還分を除外できる規定になっている。返済が多ければ、それだけ実質公債費比率は高くなるが、期限前に返す額まで反映させると、早く返そうという動きに水を差す。そこで、「繰上償還を行うインセンティブを低下させない」よう算定式から除外されている。それゆえ、繰上償還の結果、王滝村の二〇〇八年度単年度の実質公債費比率は一五%台に低下し、財政破綻は回避されたのである(葉上二〇〇九)。

自治体財政健全化法における実質公債費比率の値は、単年度ではなく、三か年平均が用いられる。王滝村の値は、二〇〇八年度は三二・一%、〇九年度は二三・〇%、一〇年度は一二・四

％（「市町村別決算状況調」）となり、〇九年度には財政再生基準だけでなく早期健全化基準をも下回るほど表面上は「健全化」した。

スキー場債務の繰上償還によって王滝村の財政破綻は回避されたものの、図2-5で見たように、村の基盤産業であるスキー場の来場者数は大きく減少しており、直近の数値である二〇一七年の数値はピーク時の一九九二年の約七〇万人に比べて六％ほどの四万人に過ぎない。王滝村はもはやお客さんが「御嶽があればほうっておいても来てくれる」村ではなくなってしまった。

王滝村における一九九八年から二〇一八年の二〇年間の人口減少率はマイナス三四・二％であり、減少市町村平均のマイナス一九・一％を大きく上回っている。地域衰退は着実に進行しており、財政の「健全化」は進んでも、村の存続にかかわる危機は去っていない。

第3節　単独事業への政策誘導と建設業の衰退

補助事業から単独事業へ

さらに、国による自治体に対する単独事業への政策誘導も、結果として地域衰退につながったことを明らかにしていこう。

中曽根康弘政権下の一九八四年度から始まった財政再建期において、国の一般歳出にシーリング(上限)が設けられ、歳出削減のため、自治体に対する国庫補助負担金の補助率が引き下げられていくこととなった。ところが、八五年のプラザ合意以降、円高不況や対外貿易の不均衡問題に対応すべく、公共投資の拡大が求められたため、補助率を引き下げつつ事業量を確保する必要に迫られた。そして、自治体が行う補助事業(国の負担金または補助金を受けて実施する事業)に関して、補助率をカットしつつ地方債と地方交付税を用いて事業量は確保・拡大するという手法が用いられた。国の歳出削減と公共投資の拡大を同時に達成するためであった。

その後、一九八九年頃になると、補助率が固定化されて補助事業の拡大は難しくなり、国庫補助金が交付されない単独事業がより活用されるようになった。

単独事業が拡大する画期となったのは、一九八七年に閣議決定された四全総(第四次全国総合開発計画)と、当時の竹下内閣が唱えた「ふるさと創生」である。この政策の中で「ふるさとづくり特別対策事業」が創設され、地域総合整備事業債(以下、地総債)という地方債が活用された。この地方債は、元利返済の一部が自治体の財政力に応じて地方交付税の算定基礎である基準財政需要額に算入(交付税措置)されるものであった(岡崎　一九九九)。

基準財政需要額は、自治体ごとの標準的な水準の行政を行うために必要となる財源を算定するものであり、「道路橋梁費」や「小学校費」といった算定項目ごとに計算され、合算される。地方債の元利返済に充てる費用を「公債費」と呼んでいるが、この公債費は、基準財政需要額の算定項目の一つとなっている。地総債の元利返済の費用の一部がここに計上された。

地方交付税は、この基準財政需要額から基準財政収入額（自治体の標準的な税収入の一定割合により算定）を差し引いて算定される。したがって、単純に考えると、基準財政需要額が増えれば、地方交付税は増えることになる。地総債の元利返済の分だけ基準財政需要額は確かに増えるので、自治体は地方交付税が増えることを期待し、積極的に事業を行った。たとえば、文化施設や公共スポーツ施設などを自治体は建設した。これらの施設の一部は、「無駄なハコモノ」として後に批判にさらされた。

ちなみに、自治体に交付された地方交付税は、実際には元利返済の分までは増えなかった。すでに述べた通り、地方交付税は、様々な項目からなる基準財政需要額から基準財政収入額を差し引いて算定されるので、基準財政需要額で一つの項目が増えても、他の項目が減れば、相殺されてしまう。増えたのは元利返済にかかる基準財政需要額であって、地方交付税総額ではなかった。自治体は後年度に地総債の元利返済と建設した施設の維持費に苦しめられることに

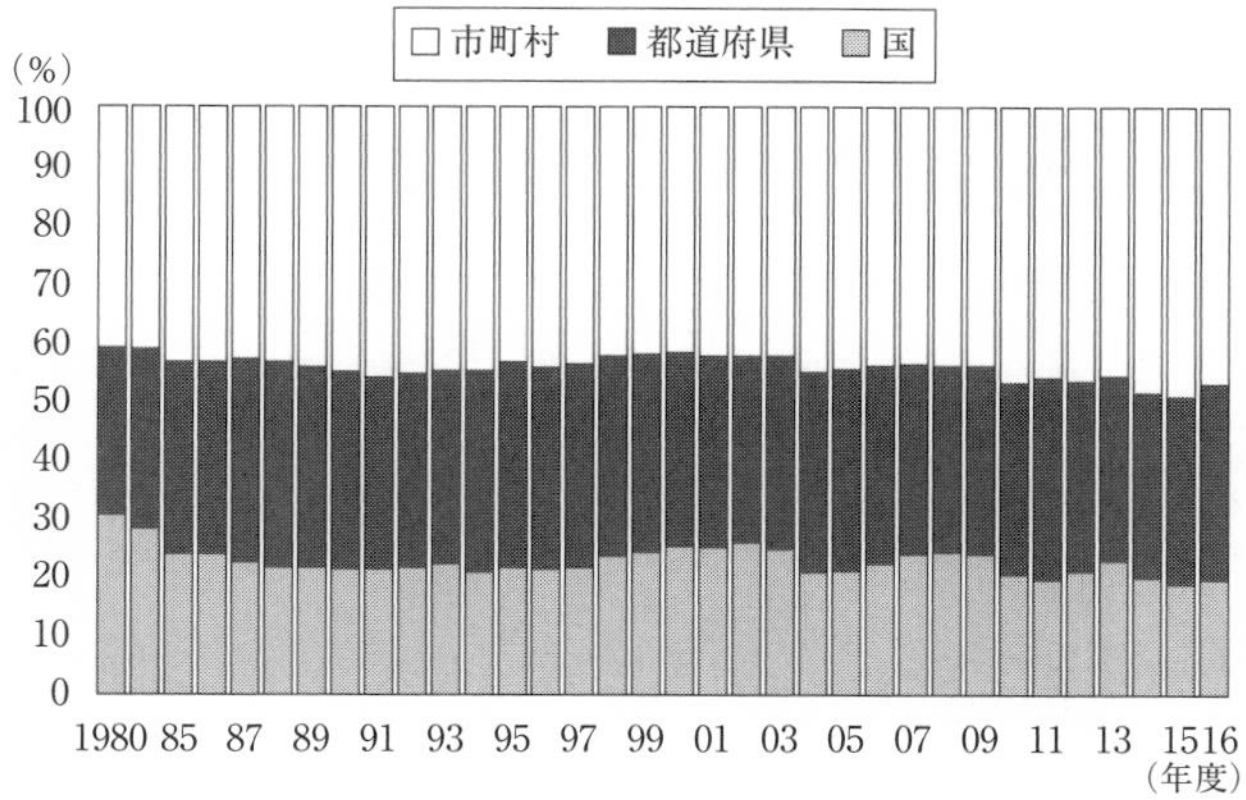

（出所）総務省『平成28年度　行政投資実績』(2019年)より引用.

図2-6　事業主体別行政投資額の構成比の推移

なった。

さて、こうした誘導のための手段が必要となった背景には、行政による投資における国と地方との関係がある。意外に思われるかもしれないが、図2-6の国・都道府県・市町村による行政投資額の構成比の推移からわかるように、日本全体の行政投資額に占める国の割合は二割程度に過ぎず、大半は都道府県と市町村が占めている。つまり、国が事業量を確保しようとした場合、自治体に事業を実施してもらわなければならないのである。このため、国にとっては自治体を誘導する何らかの手段が必要であり、地総債はそのための一つの手段であった。

自治体による単独事業が増加していく中で、一九九二年度には、建設省との協同事業として道路整備（都道府県道、市町村道）について補助事業と単独事業を組み合わせて実施する「地方特定道路整備事業」が創設された（嶋津編 一九九八）。この事業には、臨時地方道整備事業債（以下、臨道債）という地方債が活用され、この地方債も地総債と同じように、元利返済の一部が交付税措置された（下河内他 一九九五）。仕組みは先に述べた通りである。

この事業が登場した背景にあるのが、一九九一年に日米構造問題協議最終報告とともに策定された、「公共投資基本計画」である。同計画は、二〇〇〇年度までの一〇年間に総額四三〇兆円の公共投資を予定し、国内の相対的な余剰貯蓄を吸収して、国際収支の黒字圧力を緩和すること。また、二〇世紀の最後の一〇年間に大規模な公共投資を集中的に行うことによって、日本の社会資本の整備水準を引き上げることを目的としていた。この計画に基づいて、国の種々の五カ年計画が改定され、自治体の単独事業の額・シェアがともに引き上げられた（岡崎二〇〇〇）。なお、同計画は、一九九四年度に六三〇兆円へと上方修正された。

国による単独事業への政策誘導は、当初、「ふるさと」関連の事業からスタートしたが、一九九〇年代に入ると、自治体が行う公共事業の中でも大きなウエイトを占める道路事業へとシフトしていった。いわゆるハコモノから道路に中心が移っていったのである。

さらに、道路関連の単独事業は、景気対策の手段としても活用された。一九九一年にバブル経済が崩壊して景気が急速に悪化すると、九二年八月の一〇兆円規模の「総合経済対策」が実施され、これを皮切りに景気対策が次々と行われた。

こうした制度・政策に基づいて、自治体は国庫補助金が交付されない単独事業をさらに大規模に実施していくことになった。

自治体の財政悪化と土木費の減少

地方債を活用した単独事業の実施は、自治体の借金返済のための支出である公債費を増加させることとなった。

図2-7は、都道府県と市町村を足し合わせて重複部分を除いた地方純計の歳出に占める公債費の割合の推移を、一九八八〜二〇〇五年度まで示したものである。歳出に占める公債費は、九二年度まで減少傾向にあったが、九三年度以降、増加傾向に転じている。単独事業を実施するための地方債を起債した結果、数年後に返済のための公債費が増加し、財政にゆとりがなくなって、自治体の財政は徐々に硬直化していった。こうした中で、事業の見直しを行う自治体も現れた。

道路関連の地方債の返済には、地方税や地方交付税だけでなく、地方道路特定財源を充てることも可能であった。道路特定財源制度は、揮発油税、地方道路税、石油ガス税、軽油引取税、自動車重量税を財源とした道路整備のための制度で、二〇〇九年度に廃止されている。それまでの国の道路特定財源は、揮発油税全額、石油ガス税収入額の二分の一、自動車重量税収入額の国分(三分の二)の七七・五%であった。また、地方道路特定財源は地方道路譲与税(揮発油税とあわせて課される地方道路税収入額の全額が国から地方へ譲与される)、石油ガス譲与税(石油ガス税収入額の二分の一が同じく譲与される)、自動車重量譲与税(自動車重量税収入額の三分の一が同じく譲与される)の地方譲与税と、軽油引取税、自動車取得税の地方税であった。

地方譲与税は、いったん国税として徴収した特定の税目の収入の全額または一部を、一定の基準に基づいて自治体に譲与するものである。このうち、先に述べた税目が地方道路特定財源となっていた。

公債費が増加する以前は、道路の新設や修繕などの事業を実施するために地方道路特定財源は活用されていたが、二〇〇〇年代に入ると、道路関係の地方債の償還のために活用されていたといわれている。つまり、過去の借金を返済するための財源になったのである。

図2-8は、二〇〇九年度の都府県における道路関係地方債の返済額が地方道路特定財源を上回る額を示している。地方道路特定財源を、これらの都府県が当該年度に返済しなければな

らない道路関連の地方債の返済財源として全額充てた場合に、どれだけの不足が生じるかを全国市民オンブズマン連絡会議が調査したものである。回答が得られた四三都府県のうち、三五都府県で地方債の返済額が地方道路特定財源を上回っていた。

このデータは都府県に関するものであるが、国による単独事業への政策誘導の結果、地方債の返済は市町村レベルでも、大きな問題となっていた。

図2-9および図2-10は、都道府県と市町村における目的別歳出のうち、民生費、土木費、公債費の一九九七～二〇〇八年度の推移を示したものである。なお、民生費は自治体の社会保障関係の経費、土木費は単独事業だけでなく、補助事業も含んだ自治体が行う土木事業の経費である。

地方債を活用した単独事業への政策誘導の結果、公債費が増加し、さらに、一九九〇年代後半以降、景気悪化と高齢化の進展にともなって、民生費が増加した。歳入が増加しない中で、こうした経費が増加したことにより、土木費は減少した。

その大きな影響を受けることになったのは、地域の建設業である。

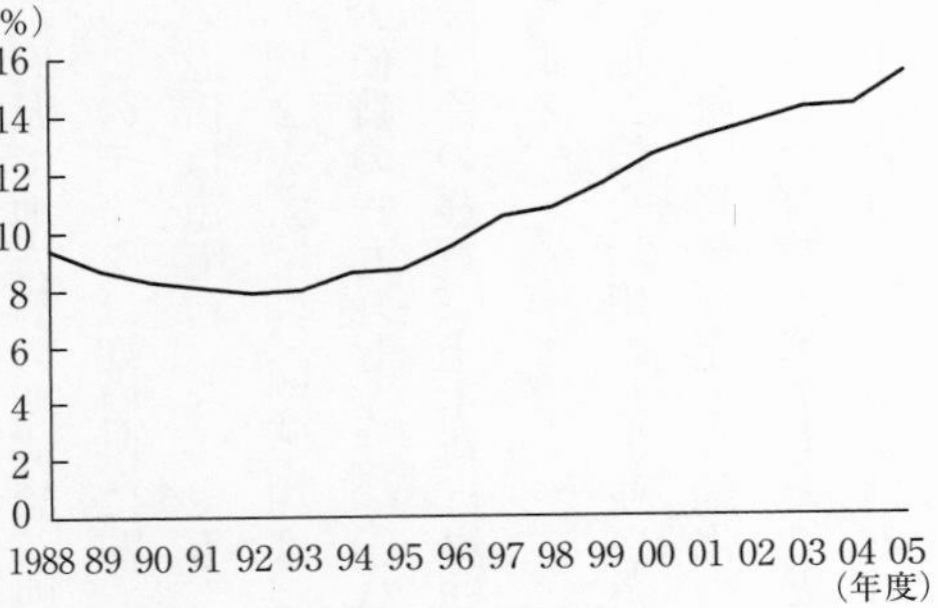

（出所）自治省・総務省『地方財政統計年報(各年度版)』より作成.

図 2-7　歳出に占める公債費の割合の推移

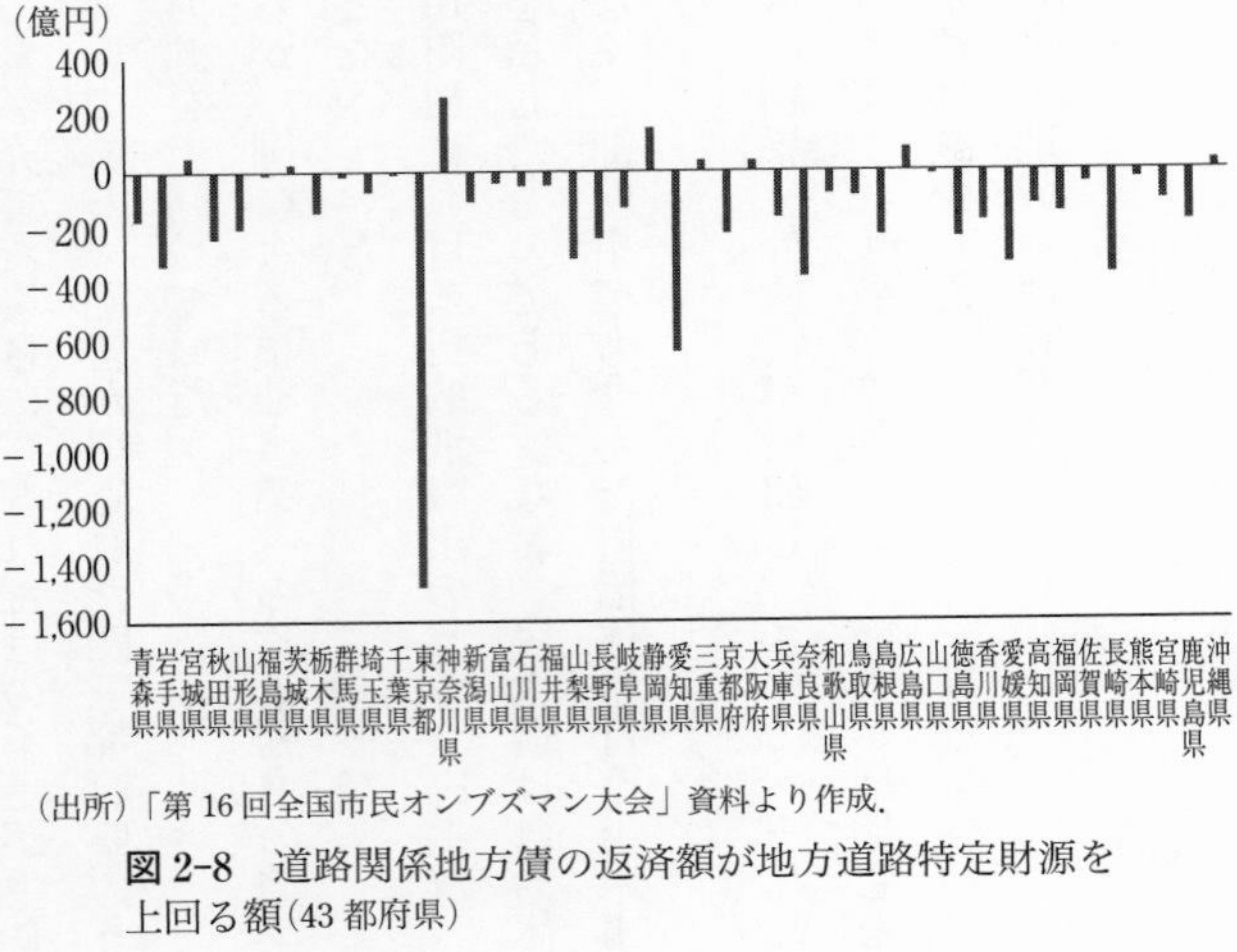

（出所）「第 16 回全国市民オンブズマン大会」資料より作成.

図 2-8　道路関係地方債の返済額が地方道路特定財源を上回る額(43 都府県)

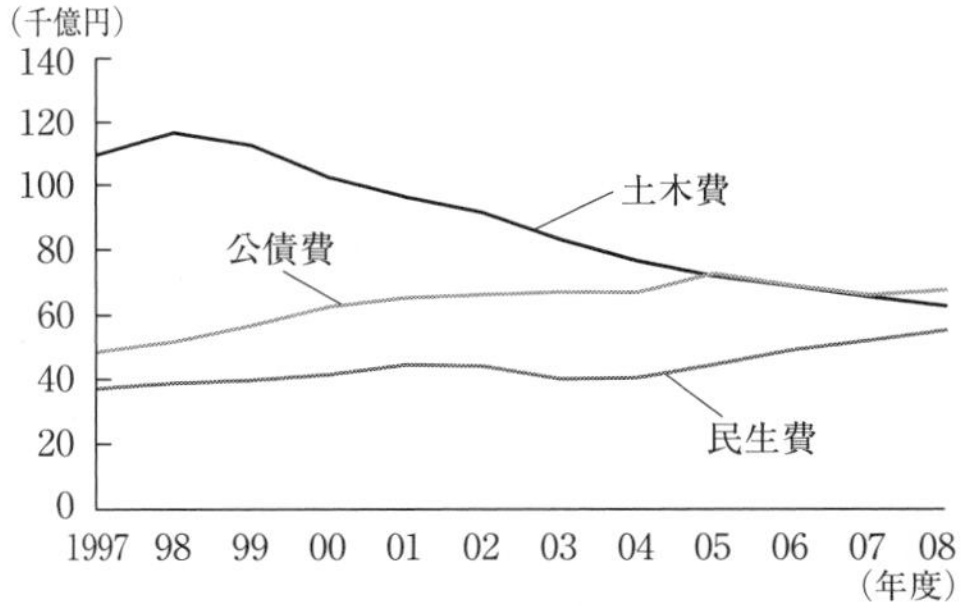

（出所）自治省・総務省『地方財政統計年報（各年度版）』より作成.

図 2-9　都道府県における目的別歳出の推移

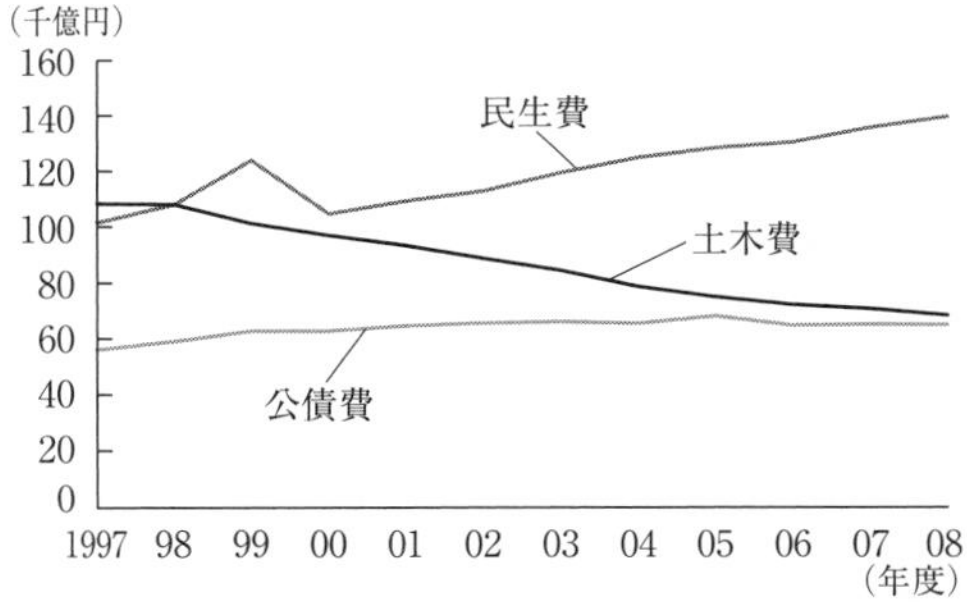

（出所）自治省・総務省『地方財政統計年報（各年度版）』より作成.

図 2-10　市町村における目的別歳出の推移

建設業の立地状況と土木費削減の影響

土木費削減が地域の建設業に与えた影響について論じる前に、自治体の行う事業と地域の建設業との関係について、梶田(二〇一二)でよくまとめられているので、それに依拠して説明していこう。

建設業は、オフィスビルや住宅などを建設する建築部門と、道路や橋、港などを整備する土木部門とに分かれている。建築部門は民間部門からの需要を中心としており、有力な業者の立地は大都市圏に集中する。これに対し、地方圏の建設業は政府部門からの需要に依拠しており、主として土木業者から構成される。

地方圏に多数の土木業者が存在し、その地元で多くの雇用が創り出されているのは、「ランク制度」と「指名競争入札制度」によるものである。

ランク制度は、市場における大規模業者と中小業者の棲み分けを目的として国によって設けられ、業者のランクは完成工事高、技術者の人数、財務基盤の健全性などに基づき、公共工事の発注機関によって決められる。また、工事の規模についても、その予定価格の大きさに応じてランクが決められており、Aランクの工事にはAランクの業者、Bランクの工事にはBランクの業者と、入札に参加できるのは原則としてその工事のランクに対応したランクをもってい

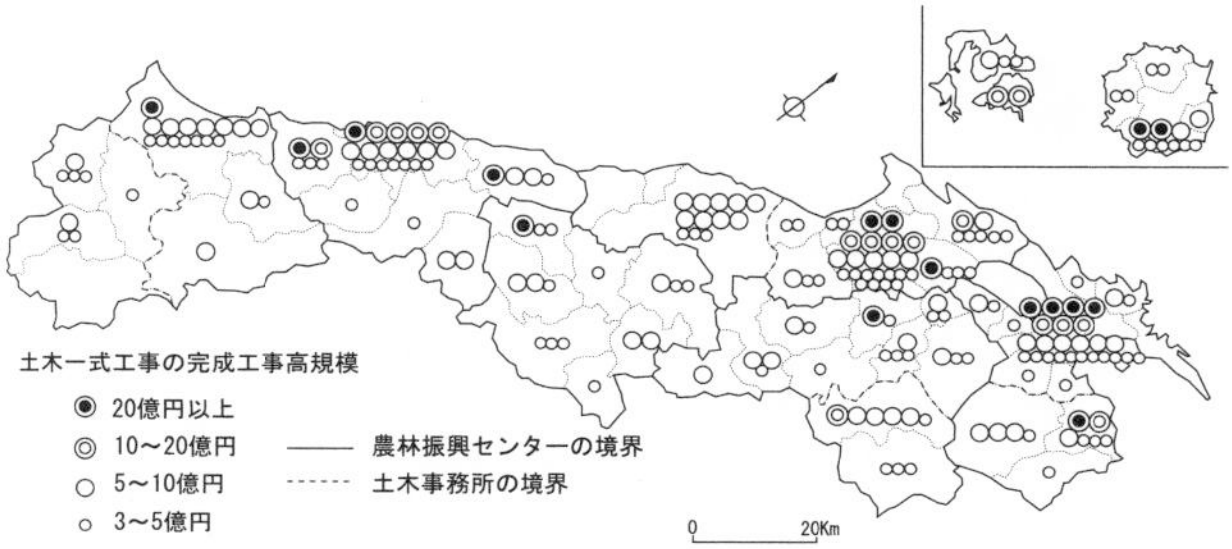

（出所）梶田（2012）123 ページより引用.
（注）土木一式工事の完成工事高が 3 億円以上の業者のみが掲載されている.

図 2-11　島根県における土木業者の立地（完成工事高規模別）

る業者に限定される。この制度によって、地元の中小業者に受注機会が与えられることになる。

また、指名競争入札制度は、発注者が工事の規模に応じた一定数の業者を指名し、これらの業者の間で入札を行う制度である。発注者は、技術的な問題が生じない限りにおいて、地域経済の振興を目的として地元の業者のみを指名する。

さらに、一九六六年に制定された「官公需についての中小企業者の受注の確保に関する法律」に基づいて、①分離・分割発注、②指名競争入札等における受注機会の増大、③地方支分部局（各省庁の地方組織）等における地元中小企業者等の活用、④共同企業体（Joint Venture：JV）の活用、が推進されている。

これらの制度の下で、各市町村に満遍なく、分散して土木業者が立地することになった。一つの例として、図

2-11で一九九五年時点における島根県の市町村別の土木業者の立地を示している。なお、島根県が事例として取り上げられたのは、梶田によれば、島根県が公共事業に依存した地域経済構造をもつ典型的な県であることなどによる。この図から、離島や中山間地域といった地理的条件や市町村の人口規模にかかわらず、完成工事高三億円以上の業者がほとんどすべての市町村に存在していることがわかる。工場などの働く場がない市町村においては、土木業が地域の主要産業になった。

このような形で土木業者が存在している状態で、自治体の土木費が削減されれば、各市町村に満遍なく立地する地域の建設業の経営は大きな影響を受けることになる。自治体の土木事業が売上の大半を占めているような業者にとっては、死活問題である。

図2-12は、都道府県別の建設業許可業者数のピーク時との比較を示したものである。この図から読み取ることができるように、ピーク時と比較して、業者数は二〜三割減少しているところが多く、特に地方圏において、その減少率は大きくなっている。この数値には土木部門だけでなく、建設部門も含まれているが、先に述べたように地方圏の建設業は土木業者が多いことから、自治体が事業を削減している影響を示しているものと考えられる。

ここまで見てきたように、一九九〇年代における国による自治体に対する単独事業への政策

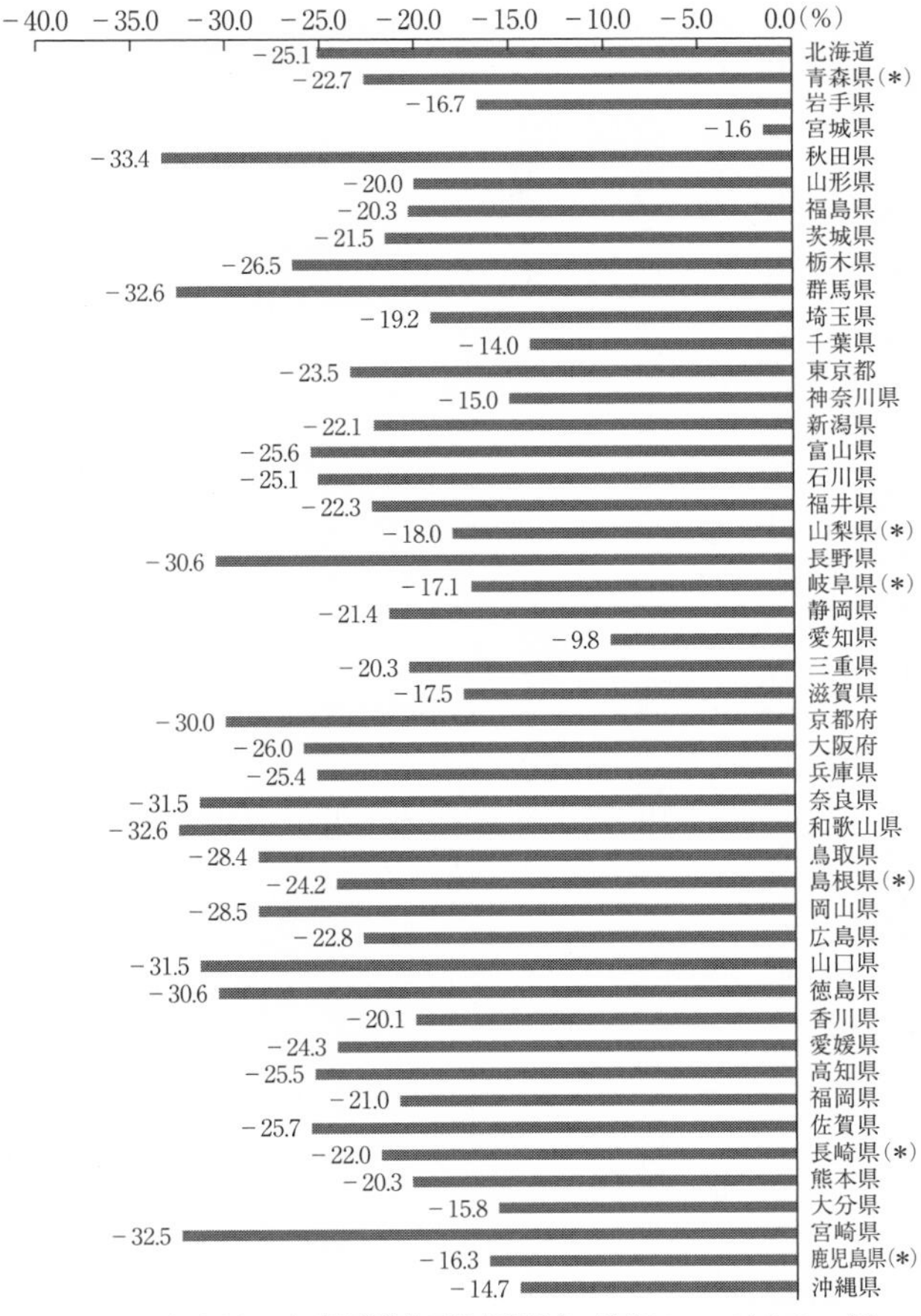

（出所）国土交通省（2019）『建設業許可業者数調査の結果について』5 ページより引用．

（注）都道府県名の横に（＊）がついているものは 2005 年 3 月，それ以外は 2000 年 3 月時点との比較．

図 2-12 都道府県別建設業許可業者数変化率：都道府県ごとのピーク時との比較

誘導は、各市町村に存在する建設業者の経営を支えることにはつながったが、自治体の財政を悪化させた、持続不可能な政策であった。公債費が増加する中で、自治体は土木費を削減し、その結果、土木事業に依存する多くの建設業者の経営は立ち行かなくなった。土木事業の拡大と削減が急激であったため、そのインパクトは大きかった。

地域で多くの雇用を生み出してきた建設業が衰退すると、働く場がなくなってしまう人が大勢現れる。また、すでに見たように、地方債を活用した単独事業への政策誘導によって、自治体の財政も悪化していたため、自治体が地域経済を支えるような独自の施策を行うことも困難であった。さらに、先の節で見たように、自治体財政健全化法の下で、自治体は公債費の比率を抑える必要があり、財政の「健全化」が優先された。

以上、本章で見てきたように、かつて地域に雇用を生み出してきた製造業、リゾート、建設業は、一九九〇年代の終わりから二〇〇〇年代にかけて、多くの地域で雇用を生み出すことが難しくなった。もちろん地域にはそれぞれの歴史や産業があり、衰退の原因も多様であるが、こうした地域における基盤産業の衰退は、第1章で示したような地域衰退の要因となっている。

しかし、特に衰退が著しい地域では、実はもう少し時間をさかのぼってその要因を考える必要がある。次章ではそのことについて詳しく説明することにしよう。

コラム２◆オーストラリアの地域衰退

筆者が二〇一八年から一九年にかけて在外研究で滞在したオーストラリアでも、地域衰退は進んでいる。筆者が滞在したのは、ニューサウスウェールズ州（以下、ＮＳＷ州）のシドニーとタムワースである。シドニーは言わずと知れた大都市であるが、タムワースはシドニーから四〇〇キロメートルほど離れた内陸の都市であり、人口は約六万二〇〇〇人である。ここに滞在することで、オーストラリアＮＳＷ州の内陸部、日本でいえば「地方」の現状を見ることができた。ちなみに、オーストラリアの総人口は約二五〇〇万人なので、タムワースもそれなりに大きな都市である。

ＮＳＷ州の自治体でも地域衰退は進んでおり、日本でいうところの「シャッター通り」も存在する。写真はタムワースの中心部から五〇キロメートルほど離れたマニラという街の様

オーストラリア・マニラの「シャッター通り」(ジョセフ・ドゥリュー氏提供)

子である。なお、マニラはかつて独立した自治体であったが、二〇一六年に行われた強制的な自治体合併によって、タムワースの一部となった。

写真に写っている建物のガラスには、"For Sale"のシールが貼られている。筆者も実際にこの建物のあったマニラ・ストリートを歩いてみたが、空き店舗が目についた。

このような地域衰退の背景には、本書で繰り返し述べている、地域に雇用を生み出してきた基盤産業の衰退がある。

オーストラリアはかつて「羊の背に乗る」といわれた国である。これは羊毛が重要な輸出品であり、それによって経済発展を遂げたためである。一九五〇年代には農業生産額に占める羊毛のシェアは五六%にも上り(玉井 二〇一八)、羊毛生産は地域の基盤産業であった。しかし、羊毛の需要が低迷すると、羊毛生産も衰退した。次章で日本の養蚕の衰退について取り上げるが、オーストラリアでは羊毛生産の衰退が地域衰退の要因の一つとなっていると考えられる。

さらに悪いことに、近年では地球温暖化の影響もあり、かつてないほど雨が少ない傾向が続いている。これが農業生産に与える影響は深刻である。オーストラリアでは灌漑施設(農地に水を供給する施設)が不十分で、農業用水の供給が不安定なことから、雨が少ないと農業生産が大きな打撃を受ける。このため、破産する農家も増えているようである。したがって、水不足も地域衰退の要因の一つといえるだろう。

なお、オーストラリアでも、農業者の高齢化と後継者不足が問題となっている(山口 二〇一四)。また、農地は日本の八三倍であり、日本とは比べ物にならないほど大規模化されているが(農林水産省「オーストラリアの農林水産業概況」)、九九%が家族経営によって運営されている(The National Farmers' Federation ウェブサイト)。第4章で日本の農業の大規模化について触れるが、オーストラリアでは農地は大規模でも、地域衰退は進んでいるのである。

第3章

衰退の「臨界点」

前章では、地域に雇用を生み出してきた産業が一九九〇年代の終わりから二〇〇〇年代にかけて衰退し、それが地域衰退につながったことを論じた。

さらに、本章では衰退が著しい地域がなぜ、どのように衰退していったのかを、一九九〇年代よりも時間をさかのぼって明らかにしていこう。

第1節　基盤産業を失った地域

山村のケース——群馬県南牧村の場合

はじめに取り上げるのは群馬県南牧村のケースである。

南牧村は群馬県の南西部に位置する人口約一八〇〇人(二〇二〇年現在)の村である。一九六〇年頃から急速に過疎化が進み、現在では高齢化率、少子化率ともに全国第一位である(南牧村ウェブサイト)。この村は一九五五年に旧磐戸《いわど》村、旧月形村、旧尾沢村が合併してできた村であり、合併後すぐに過疎化が始まったということになる。高齢化率は、第1章でも述べた通り、六一・五%となっている。なお、ここは『地方消滅』で「消滅可能性が高い」とされた自治体の一つでもある。

　図3-1は一九五五年から二〇一五年までの南牧村の人口の推移を示したものである。一九五五年には一万人を上回っていた人口が六〇年の調査では九〇〇〇人台となり、五年ごとの調査のたびに一〇〇〇人程度の人口減少が続くという状態が八〇年代まで続いた。八〇年代以降も減少率は高いままで、二〇一五年調査では二〇〇〇人を切るというところまで人口減少が進んだ。一九五五年から六〇年間で人口が五分の一になった。

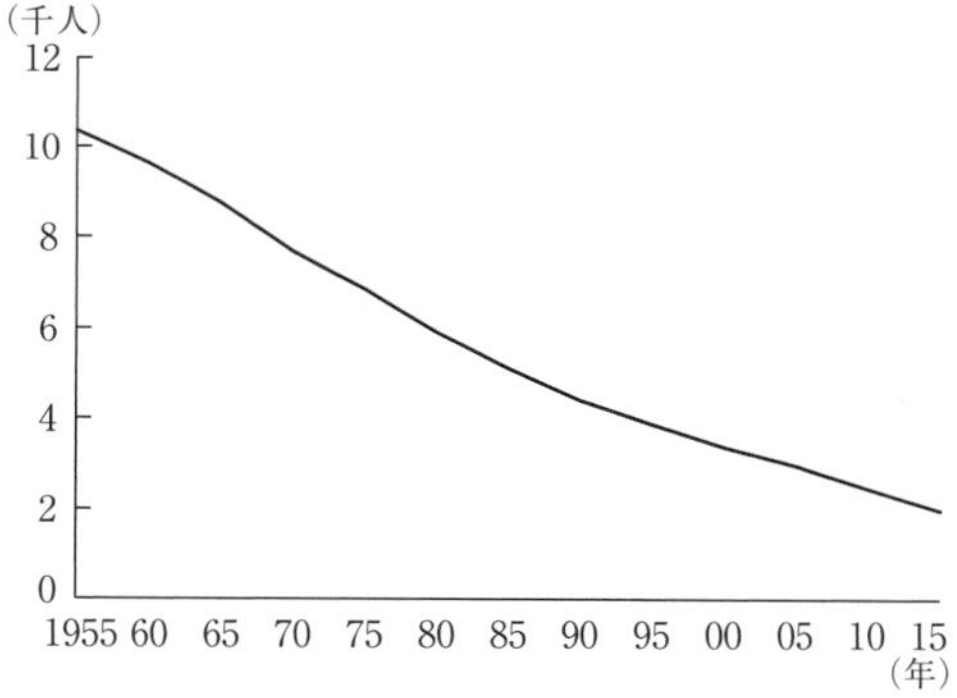

(出所)「国勢調査」より作成.

図3-1　南牧村の人口の推移

　人口減少が始まる前の一九五〇年代の南牧村は、こんにゃく、砥石、養蚕、林業で栄えた。「荒粉(こんにゃく芋を干して粉にしたもの)をセメント袋一つ売れば三か月は遊んで暮らせる」といわれた。村内には飲食店やパチンコ店が並び、芸者宿まであったようだ(小熊二〇一九)。

　写真は往時の南牧村での「こんにゃく刺し」の様子

を写したものである。この作業は、スライスしたこんにゃく芋を長い竹に刺し、すだれに干して乾燥させ、出荷するために行ったそうである。

しかし、一九六〇年代以降は、木材価格の低下、輸入生糸の台頭、こんにゃく芋の品種改良による平坦地との競争の中で、いずれの産業も衰退した。その結果、人口減少が進んだ(西野 二〇一五)。

表3-1は一九六〇年から二〇一五年までの南牧村における農業就業人口の推移を示したものである。農業就業人口とは、一五歳以上の農家世帯員のうち、調査期日前一年間に農業のみに従事した者、または農業と兼業の双方に従事したが、農業の従事日数の方が多い者をいう。一九六五年には二八〇〇人ほど(人口の三人に一人)が農業に従事していたが、七〇年代には減少しはじめ、八〇年代には激減したことがこの表からわかる。特に七五年から八〇年にかけての五年間でおよそ半減している。先に述べたように、南牧村では農業の中心はこんにゃく芋の栽培と養蚕であったが、これらによって稼げなくなると

こんにゃく刺しの様子(篠崎佐枝子氏提供)

農業に従事する人が大きく減り、近年では全国平均の農業就業人口比率を下回るほど少なくなっている。

一九六〇年代から八〇年代にかけて、農家減少率とともに養蚕農家の減少率も高くなっている。この時期に養蚕から他の農業に転換せずに農業そのものをやめた農家が多かった。養蚕衰退後の桑園には、木材価格が高値で推移していたことや、傾斜地かつ狭小な農地に換金性の高い代替作物を導入することが困難であったこともあり、植林が行われた。しかし、先述の通り、木材価格の下落により林業は衰退した(西野 二〇一六)。

群馬県北部の山村では、温泉や積雪といった地理的条件を活かして、スキーリゾートを開発するなど、高速交通網の整備に合わせた地域振興策が展開されてきた。たとえば片品村では、木炭生産が不振となってからは共有林でのスキー場の開設と民宿経営が行われた。しかし、南牧村を含む県南西部の山村は、有力な観光資源をもたないため振興にも限界があった(西野 二〇一五)。

前章で見た長野県須坂市も戦前は製糸業が盛んであったが、製糸

表 3-1 南牧村における農業就業人口の推移

年	人数(人)
1960	2,266
65	2,792
70	2,416
75	1,722
80	902
85	549
90	350
95	231
2000	117
05	96
10	73
15	48

(出所) 南牧村ウェブサイトのデータ(原資料「農林業センサス」)より作成.

業衰退後にはかつて桑畑であったところはリンゴ畑やブドウ畑になった。さらに、富士通を中心とした企業城下町が形成された。また、王滝村では、財政破綻の危機を招いたものの、林業が衰退してもスキー場で地域が潤った時代があった。しかし、南牧村では農林業衰退後に次の基盤産業が現れることはなかった。

働く場がなかったために、高校進学を契機に転出した、本来なら村の担い手になる若年人口がUターンできず、担い手を送り出した親の加齢だけが進んで、著しい高齢化が進んだ。親の世代は職を求めて離村することは少なかったが、子の世代は高校進学時に離村して、都市地域において職に就き、家庭をもつに至った(同右)。

このようにして、南牧村では著しい人口減少と高齢化が進んだのである。多くの若者が村内で就業機会を得ることができなかったところが大きい。

さらに、一九九四年には、旧村単位で存在した三つの小学校のうち月形小学校と尾沢小学校が児童数減少のために合併して南牧小学校となり、二〇〇二年には、磐戸小学校が南牧小学校と合併した。そのため、現在、村内の小学校は一つとなっている。一九年九月時点の全校児童数は二四人である(南牧小学校ウェブサイト)。一八年の「住民基本台帳」に基づけば、〇~一四歳までの子どもの数は五四人であり、人口に占める割合は二・八%である。他方、高齢化率は、すでに述べた通り、六一・五％であり、少子高齢化はかなり進んでいる。

かつて林業や養蚕が盛んであった南牧村のような自治体は、実は第1章で取り上げた人口減少率上位二〇市町村に多く含まれている。これらの産業の衰退による人口減少と少子高齢化という現象は、この村だけでなく、多くの人口減少が著しい自治体で見られる。

旧産炭地のケース

次に取り上げるのは旧産炭地のケースである。旧産炭地でも人口減少は著しく、かなり早い段階で大きな人口減少が見られた。第1章で取り上げた人口減少率上位二〇市町村にもいくつか含まれている。

表3-2は、一九六五年から七〇年までの五年間の人口減少率が高かった一〇市のそれを示したものである。あわせて鉱業に従事する就業者数の割合も示している。

この表から読み取ることができるように、すべての市が鉱業就業者の割合が一〇％を超える炭鉱町であった。これらの都市の多くの産業が鉱業に依存して成立していた。したがって、石炭に対する需要が減少すると、炭鉱就業者数は減少し、波及需要も減少した。そして、これらに依存する産業が成立し得なくなって、人口も減少した（井原　一九七三）。

表3-2　1965〜70年における人口減少率上位10市

道県名	都市名	1965〜70年人口減少率(%)	1965年の鉱業就業者の割合(%)
北海道	歌志内市	−30.3	53.80
佐賀県	多久市	−25.6	22.26
北海道	赤平市	−25.2	39.73
北海道	美唄市	−24.9	18.73
福岡県	山田市	−24.3	23.98
長崎県	松浦市	−21.6	10.35
山口県	美祢市	−19.8	26.09
北海道	芦別市	−18.0	22.35
北海道	夕張市	−17.9	39.82
北海道	三笠市	−15.8	38.76

(出所)井原(1973)26ページ(原資料「国勢調査」)より引用.

さらに、これらの市の中で、第1章で取り上げた人口減少率上位二〇市町村に含まれる北海道歌志内《うたしない》市、夕張市に加え、赤平《あかびら》市、美唄《びばい》市、芦別市、三笠市の一九六五年から二〇一五年までの人口推移について、図3-2で見てみよう。

図3-1で示した南牧村のケースと異なり、これら旧産炭地の市では一九六五年から七五年にかけて急激な人口減少が見られる。最も減少率が大きかったのが歌志内市で、人口が六割弱減っている。南牧村では人口が同じ六割弱減少するまで三五年かかったが、歌志内市ではそれが一〇年で起こったのである。

歌志内市をはじめとするこれらの市は、もともと石狩炭田のあった市である。石狩炭田は財閥系の大炭鉱であったが、主要エネルギー源が石炭から石油へ転換した「エネルギー革命」の中で、一九六〇年代後半になると石炭の減産と鉱山の閉鎖が本格化し、石炭産業の崩壊が急速に進んだ(矢田 二〇一四)。こうした基盤産業の崩壊が急激な人口減少をもたらしたのである。

それでも、炭鉱が開発される以前から都市基盤をもっていたところは、炭鉱以外の産業や人口集積をよりどころにして、産業を転換することができた。たとえば、宇部・大嶺炭田のあった山口県中央部はセメントや重化学工業に転換し、常磐炭田のあった茨城県と福島県にまたがる地域は、炭鉱から派生した各種製造業と観光施設、常磐ハワイアンセンター(現・スパリゾートハワイアンズ)に転換した。特に後者は映画『フラガール』(監督・李相日、二〇〇六年)でよく知られている。炭鉱労働者や離職者と家族が地元にとどまって、ホテル従業員やフラダンサーとして「炭鉱から観光へ」転身したのである。

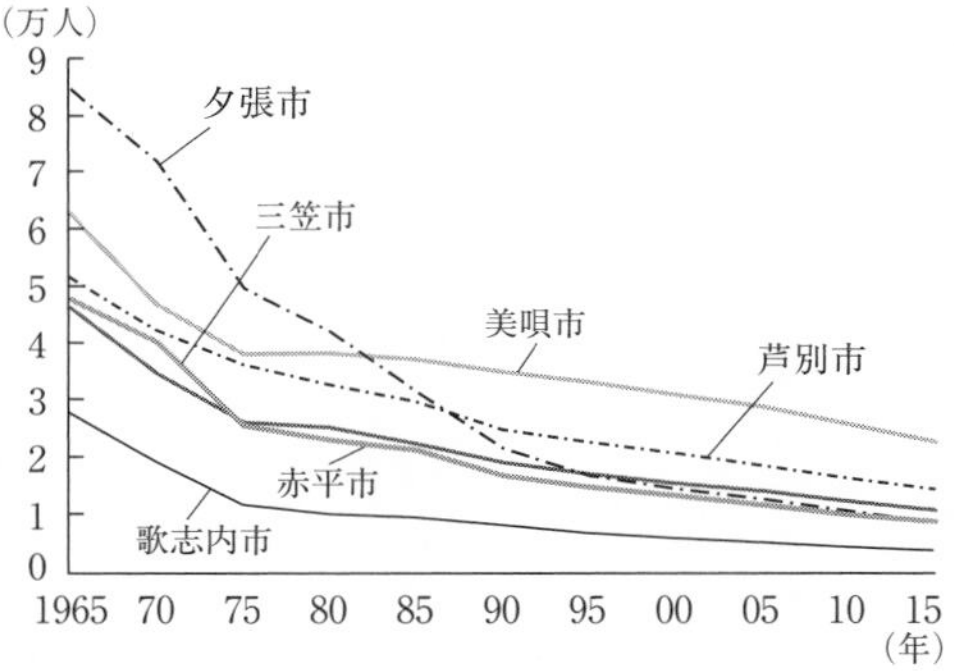

(出所)「国勢調査」より作成.

図 3-2　北海道歌志内市・赤平市・美唄市・芦別市・夕張市・三笠市の人口の推移

しかし、北海道を中心に、炭鉱が開かれることによって形成された地域では、石炭会社・関連会社以外の産業を定着させることが困難だったため、炭鉱の閉山とともに全人口が他へ流出して荒廃地と化した。炭鉱労働者とその家族は他の成長産業へ、他の地域へ移動させられた。たとえば、北海道釧路市にあった尺別炭鉱には、従業員二〇〇〇人を擁する炭鉱施設の他、九つの炭鉱住宅区、尺別炭鉱病院、尺別炭鉱小学校、尺別炭鉱中学校、厚生会館、商店街、共同浴場などがあった。そこは五〇〇〇人が暮らした炭鉱町であった。しかし、一九七〇年二月に炭鉱が閉山したため、わずか半年後には住民全員が町を後にし、廃墟と化した(中澤・嶋崎編著 二〇一八)。

南牧村と同じように、基盤産業の衰退後に次の産業が現れることはなく、人口減少が止まることもなかった。

第2節　サービス経済化と地域衰退

事業所サービス業の拡大

ここまで、山村と旧産炭地の衰退について見てきた。それぞれ一九六〇年代から七〇年代に基盤産業であった農林業と鉱業の衰退が地域の衰退をもたらし、それが今日まで大きな影響を及ぼしていることを示した。

こうした産業の衰退が見られる一方で、成長してきた産業がある。第三次産業である。経済が発展するにつれて、産業構造が第一次産業から、第二次・第三次産業に移っていくという、有名なペティ・クラークの法則があるが、戦後日本の産業構造もこの法則にしたがうように変化した。

第一次産業は、農業・林業・漁業という動植物の採取・栽培に関する産業であり、第二次産業は、鉱業・建設業・製造業という鉱工物（無生物）の採取・製作・加工を行う産業である。第三次産業は、これらに属さない、それ以外の活動に従事する産業（残余の部門）として定義されてきた。

第三次産業の中には、卸売・小売業や金融・保険業、サービス業などが含まれる。「残余の部門」として、様々な業種が属していたサービス業のサービス提供先の分類から、消費者（家計）を顧客とする「個人サービス業」（消費者サービス業）、事業所・企業を顧客とする「事業所サービス業」（生産者サービス業、ビジネスサービス業）、医療・教育・社会福祉などにかかわる「公共サービス業」の三つに分類される。これらの中でも、事業所サービス業の拡大によって、サービス経済化はもたらされた。なお、事業所サービス業としては、産業用機械器具賃貸業、事務用機械器具賃貸業、ソフトウェア業、情報処理・提供サービス業といった業種が挙げられる

（加藤　二〇一一）。

事業所サービス業の特徴として、地域的に偏在する傾向がある。これは最近になって見られるようになった現象ではなく、第三次産業の市場構造は、一九七〇年代からすでに大都市地域や先進工業地域では製造業からのサービス需要が大きく、北海道や東北、山陰地域など産業化の遅れた農業的地域では、個人消費と一般政府（中央政府・地方政府・社会保障基金（年金・医療・介護保険））の最終消費支出（公務員給与や現物給付による社会保障給付）への依存が強いという特徴があった（安東　一九八六）。個人サービス業は、人口の分布に比例して比較的広く分布するのに対して、事業所サービス業は、企業の本社や支社の集中する大都市を中心に特定規模以上の都市に集中する傾向がある。これら事業所サービス業の伸びは著しく、その結果、事業所サービス業が多数集積する大都市地域は成長し、その他の都市との格差を拡大させてきている（松原　二〇〇六）。

第1章で、製造業において従業者が減少した数の上位二〇自治体を取り上げ、大都市では製造業が衰退しているものの、それが人口減少や地域衰退には必ずしもつながっておらず、製造業の衰退をカバーするだけの他の「何か」があると述べた。その「何か」とは、事業所サービス業のことである。

事業所サービス業はさらに、「移出型サービス」になりやすいとも考えられる。移出というのは、国内の他の地域に財・サービスを送り出すことである。つまり、事業所サービス業は域外から所得を得る基盤産業になり得るのである。

サービスは、次のような性質をもっている場合に市場の範囲が広く、移出型になりやすい。第一に、サービスが「もの」になる場合である。たとえば、シンクタンクの調査という仕事の中身はサービスの供給であるが、調査結果は報告書という「もの」としてまとめられ、クライアントに提出される。第二に、通信による伝達が可能な場合である。情報は世界中のどこからでも検索し手に入れることができる。第三に、ロットが大きい場合である。たとえば、一回の取引金額が一〇〇〇万円の場合、利用するコストとして一〇万円かかっても、一%以上の料金差があったり、質の上で少々有利なところがあったりすれば、離れたところのサービス供給者を選択する可能性は十分にある。第四に、独占的供給者として人がそれを求める場合である。北米大陸のナイアガラの滝やエジプトのピラミッド、日本国内では東京ディズニーランドは独占的観光資源である。こうした移出産業的性質をもつ産業の東京都の事業者が占める割合は高い（井原 一九九九）。

この事業所サービス業の偏在ぶりが、人口集中の契機となり、東京一極集中の要因ともなっている(井原 同右、加藤 二〇一一)。他方、基盤産業を失った地域から見れば、若者を中心とした人口流出の要因となっているといえる。

サービス業と大都市集中

ここで、地域衰退と裏表の関係にある大都市への集中について、サービス業と関連づけてもう少し詳しく検討してみよう。

なぜ移出型サービスは大都市に立地するのであろうか。これは「集積の利益」が大きいからである。サービス供給者といえども、仕事をする上で、外部のサービスを利用する傾向はますます高まっている。これらのサービス供給者がすぐ近くにいることが便利なのである。また、近くに需要者がいることが商売の上で都合がよい。たとえば、テレビ局は番組を制作する上で外部の多様なサービス供給者を必要とする。それは俳優、歌手、その他タレントなどの出演者だけではなく、シナリオライターや作曲者をはじめとした多くの専門家がかかわっている。テレビ局はテレビ電波を発信するのだから、その機能だけであれば地方に立地してもよいのだが、番組制作に必要な多様なサービス供給者が存在する大都市、特に東京に立地していることがなにかと便利なのである。また、個々のサービス供給者はテレビ局だけを相手にしているわけではない。舞台で歌うことがあるし、映画にも出る。講演や種々のイベントにかかわることも多い。多様な需要者が存在する大都市、特に東京がやはり都合がよいのである。

さらに、在庫がきかないというサービスの特性が「集積の利益」をより高いものにしている（井原　一九九九）。

在庫が不可能であるということは、生産量がいつでも需要量に等しいということである。すなわち、生産と需要の間に時間的なずれが全くないわけである。たとえば、喫茶店には在庫がない。コーヒー豆の在庫は存在するが、場所を提供し、コーヒーを飲ませて料金を取るという生産の在庫は不可能なのである。また、パンダは上野動物園に置いたからこそ通勤ラッシュ並みの見物人が集まったのであり、地方の動物園に置いても観光客ぐらいしか立ち寄らないであろう。したがって、産業が成立するためには、市場である大都市という人口集積の中に立地することが最も重要な条件なのである（井原　一九七三）。

大都市に集中する移出型サービスである事業所サービス業が拡大したのは、第一次オイルショックによって市場環境・競争条件が変化し、コスト削減のために情報化が進められ、外部化されたためである。企業の情報化はまず製造過程において進められ、事務や管理の情報化はやや遅れて進められた。製造過程の情報化は、生産工程における自動化・省力化、操作性向上による生産性向上の徹底化の他、集積回路という電子部品の性能向上に裏付けられた部品点数と工程数の大幅な削減による生産性向上・省資源化などの形で進展した。そして、製造過程によって培われた半導体技術を中心とした情報技術の発達は、遅れていた事務処理や情報処理の効率を高めることに寄与した。事務の省力化やコスト削減、事務環境の質的向上が図られるとともに、組織内・組織間の情報伝達の高速化が実現し、企業や行政組織におけるＯＡ（Office Automation）化が大きく進展した。しかし、情報化が進められる中で、企業内における情報機器・システムおよび関連ソフトウェアへの投資、情報部門とその拡大は、新たなコストの増大にも結び付いていた。そこで、その機能・質を維持しながら、コストを削減する上で選択されたのが外部化であった。

また、他企業との差別化や経営多角化という要因からも外部化が進められた。これは、成長が著しい分野への進出を図り、経営を多角化することによって企業の安定的な成長を獲得しようとするものであった。サービス業には成長業種が多数存在したことから、多くのサービス業子会社が設立された。成長分野への進出によって子会社が利益を上げれば、コスト削減と経営多角化を同時に達成することから実践された。事業所サービス業の増加は、企業の戦略の結果であった。

そして、一つの事業所サービス業の拡大がさらに別の事業所サービス業を拡大させる。拡大した就業機会が人口(労働力)を吸引する。人口の拡大は個人サービス業の拡大を呼び起こす。個人サービス業の拡大は、単に一業種の事業所、従業者数が増えるというだけではなく、たとえば、遊技場やその他の娯楽業などといった業種の種類も増えることにつながると同時に、業種ごとに提供されるサービスの種類をも増やす。これらが大都市における消費機会の多様化をもたらす。これが「都市の魅力」となり、さらなる人口集中の要因となる。「都市の魅力」は、そこでの創業を生み、一部は事業所サービス業として機能する。また、個人サービス業の拡大がさらなる事業所サービス業の拡大をもたらす。このような循環的因果関係が事業所サービス業の一層の集中・集積と、人口やその他のサービス業の拡大を引き起こしている(加藤二〇一二)。

巨大な人口集積をもつ巨大都市では、多様性をもち、しかも規模の大きい第三次産業の集団が成立し得る。そうした場所には、遠くの地域に住んでいる人も新幹線などを使ってやってきて消費を行う。この消費は巨大都市の移出である。

第二次産業の代表である製造業の生産物は移動が自由であるのに対して、第三次産業の代表である卸・小売業およびサービス業の生産物は、一般に移動しない。移動するのは人の方である(井原　一九七三)。

このようにして、サービス業や人口だけでなく、他地域に住む人々の消費も大都市に集中することになる。そして、このことは、産業が衰退し、人口が減少している地域のさらなる衰退をもたらすのである。

第3節　社会保障給付が支える地域

医療・介護サービスの拡大

では、大都市ではない地方はどのような状況にあるのだろうか。すでに述べたように、一九七〇年代から産業化の遅れた農業的地域における第三次産業の市場構造は、個人消費と一般政府の最終消費支出への依存が強いという特徴があった。特に宮城県を除く東北や九州の各県のサービス市場は地域内サービス需要である個人消費・財政需要依存型のサービス市場であり、製造業からのサービス需要など他産業と結びついた市場拡大の経路を作り出すことができない、地域外のサービス需要が見込めない底の浅いサービス市場であった。地方のサービス経済化は大都市のそれと異なり、地域の産業構造の高度化にともなう社会的分業の拡大を基礎にして進展したものではなく、個人消費や財政需要の拡大に依存した他律性の強いものであった（安東一九八六）。

こうした地域では、高度経済成長期においても県内就業者のうち製造業就業者が最も多くなることはなく、第三次産業が一気に農業に取って代わった。すなわち、こうした地域のサービス経済は、製造業の雇用に代わって第三次産業のそれが伸びたというよりも、むしろ製造業の発展が弱く、それ以外にも雇用吸収力のある特定の産業が存在しなかったために進んだ。そして、このサービス経済化は、公共サービス業（医療、福祉、教育等）のみへの特化か、公共サービス業と個人サービス業の両者への特化という形であった（加藤 二〇一一）。

図3－3はこうした地域でも特に医療・介護の就業者数が多い鹿児島県の主要産業別就業者の割合の推移を示したものである。第三次産業の中でも就業者数の

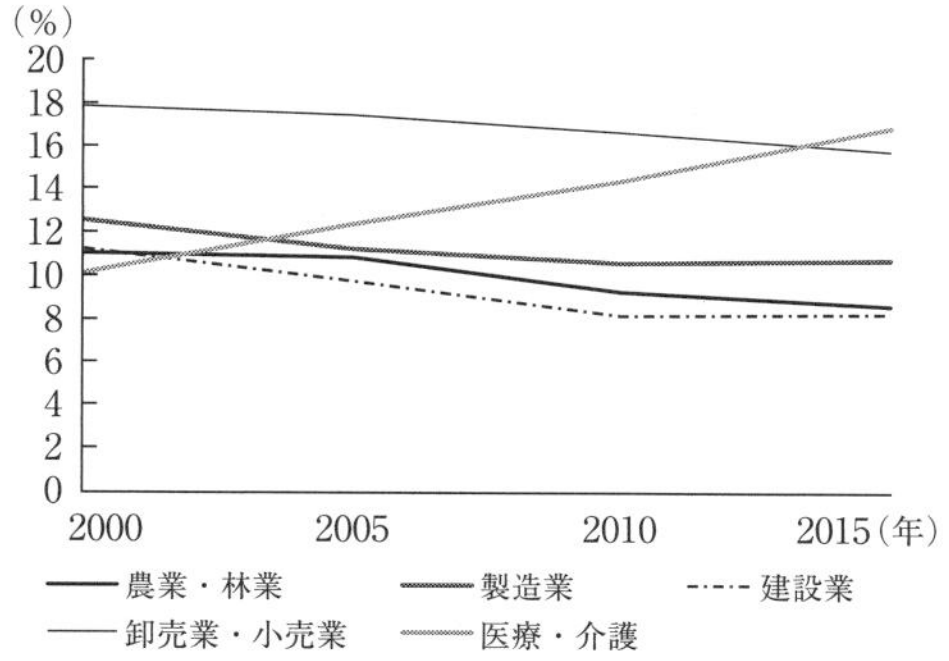

（出所）「国勢調査」より作成.

図 3-3 鹿児島県における就業者に占める主要産業別就業者の割合

表3-3　鹿児島県内市町村における主要産業別就業者の割合(医療・介護上位10市町村)

(単位：%)

市町村名	農業・林業	建設業	製造業	卸売業・小売業	医療・介護
旧　鹿島村	2.2	6.6	0.0	5.5	30.9
龍郷町	4.8	10.4	5.2	15.2	22.7
旧　住用村	7.4	12.5	6.6	8.4	22.1
旧　坊津町	12.0	7.4	10.2	11.6	21.5
旧　名瀬市	1.5	9.6	4.6	17.9	21.3
旧　大浦町	16.2	9.0	7.8	12.8	21.3
旧　加世田市	7.9	7.4	13.1	14.1	21.1
旧　金峰町	14.2	12.1	12.8	12.4	21.1
大和村	8.0	14.4	4.5	8.0	20.0
瀬戸内町	3.5	10.7	3.0	12.3	19.8

(出所)「国勢調査」より作成.

多い卸売業・小売業と医療・介護を分けて抜き出しているが、農業→製造業→第三次産業という形で雇用が変化したわけでなく、農業と製造業の雇用がほぼ同じくらいの大きさであった中で、二〇〇〇年代に医療・介護に従事する人が増えていったことがわかる。特に一五年には卸売業・小売業を上回るほどの就業者数となっている。また、前章で取り上げた建設業の衰退は、この図からも確認することができる。

市町村別に五つの産業について詳しく見てみると、医療・介護の就業者数が特に多くなっている地域があることがわかる。表3-3は、鹿児島県内市町村における主要産業別就業者の割合について、医療・介護の就業者の割合が特に高い一〇市町村を見たものである。

図3-3でも取り上げた通り、鹿児島県は医療・介護の就業者数が多いため、引き続き取り上げる。なお、市町村合併を行った市町村についても旧市町村単位でデータを示している。

この表から、医療・介護分野が経済のサービス化を牽引しており、市町村レベルで見ると、一部ではそれが相当進んでいることがわかる。なお、旧鹿島村、龍郷《たつごう》町、旧住用《すみよう》村、旧名瀬《なぜ》市、大和《やまと》村、瀬戸内町は、いずれも離島に位置する市町村である。こうしたところでは、製造業の就業者がかなり少なく、第三次産業が一気に農業に取って代わったという構図が鮮明である。

都道府県内でのサービス業の分布

大都市部においては事業所サービスが拡大し、それ以外の地域では公共サービス業への特化が見られるという特徴は、都道府県内部においても見られる。ただし、都道府県庁所在地といった特定の都市への一極集中ではなく、それぞれ都道府県庁所在地に匹敵する規模をもつ上位都市群への集中が顕著である。また、上位都市以外に立地した事業所サービス業には、農業・建設業と直結した、農林水産業協同組合、産業用機械器具賃貸業（レンタル・リース業の一つ）、土木建築サービス業、警備業（工事現場などでの交通整理や誘導など）が多い。農協と公共事業に依存した事業所サービス業となっており、上位都市における民間部門を主体としたそれとは大きく異なっている。

さらに、こうした都市には移出型のサービス業がほとんど存在せず、こうした点も大都市に立地するサービス業と決定的に違っている（加藤二〇二一）。

ただし、加藤は一九九〇年代のデータを用いて分析を行っているため、現在では、前章で取り上げた自治体の土木事業が減ったことによる建設業の衰退にともなって、公共事業に依存した事業所サービス業も減少していると考えられる。

また、農協についてもその数は減少している。

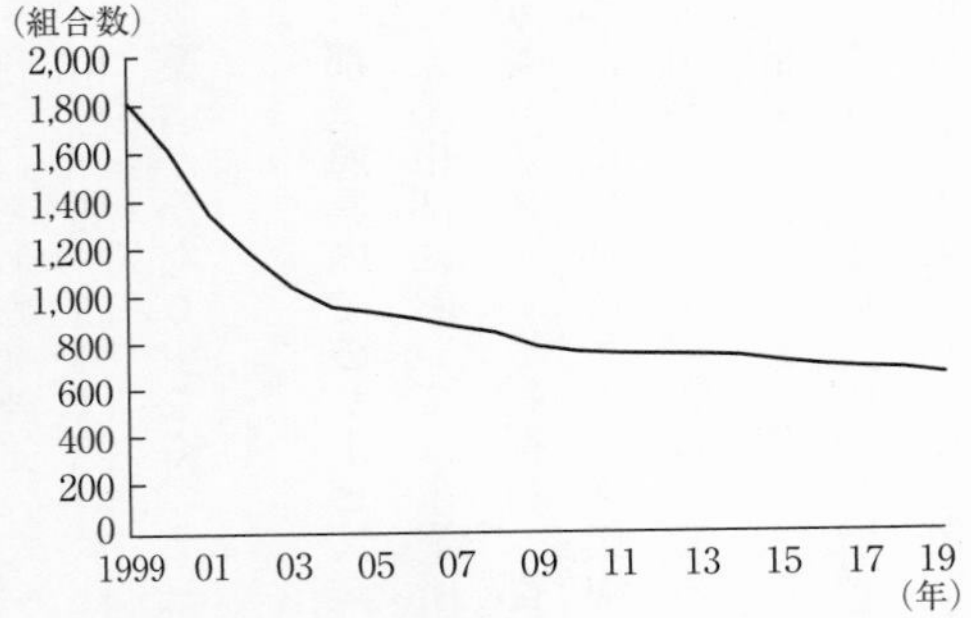

（出所）「農業協同組合等現在数統計」より作成.

図 3-4　総合農協数の推移

図3-4は、一九九九年から二〇一九年までの総合農協（貯金や資金貸付業務を行う信用事業、野菜や米など農畜産物を扱う販売事業、肥料・農薬・生活用品等を扱う購買事業、保険業務を行う共済事業などを兼営）数の推移を示したものである。総合農協の数は合併の影響により、一九九九年から二〇〇六年までにおよそ半分になり、二〇一九年にはさらにおよそ三分の一となった。それにともなって、支

所数も減少している。

したがって、この間、都道府県庁所在地に匹敵する規模をもつ上位都市以外に立地した事業所サービス業はかなり減少してきており、その結果、医療や介護といった「公共サービス業」への特化がより一層進んでいるものと考えられる。

社会保障が地域の産業構造を形づくる

ここまで論じてきたように、大都市、都道府県庁所在地やそれに匹敵する上位都市以外の地域におけるサービス業は、公共サービス業に特化していく傾向が見られた。こうした産業構造が形成される要因の一つに、高齢者に対する社会保障給付があると考えられる。

すでに一九八〇年の段階で、社会保障給付が、国や自治体などが行う社会資本整備のための投資である「公的固定資本形成」を上回っており、もともと公共事業のウエイトの高かった地方圏全体で見ても、社会保障が公共事業を追い抜いて公的支出の最大部門を占めるようになっていた(安東　一九八六)。安東は、「社会保障給付・負担に大きな制度的変更がないとすれば、全体として制約が強まる財政支出のなかで社会保障による移転所得は長期的増大傾向をたどり、地域間所得トランスファーの中心的役割をになっていくことになるであろう」と一九八六年に刊行した著書の中で述べていたが、まさにその指摘の通り、「「公共事業主導型」のトランスファーから、「社会保障主導型」のトランスファーへの移行」が起こっている。すなわち、公共事業から医療給付や年金給付といった社会保険制度を通じた所得移転への移行である。

前章で、各市町村に満遍なく、分散して土木業者が立地していることを梶田（二〇一二）に依拠して示したが、社会保障給付は個人に対して行われ、市町村単位で見れば、結果として高齢化率に応じた形で行われている。

図3-5は、熊本県内における市町村ごとの高齢化率と「家計所得」に占める社会保障給付の割合を散布図にして描いたものである。なお、高齢化率は二〇一六年一月一日時点、社会保障給付の割合は二〇一六年度のデータを用いている。この図から明らかなように、両者には強い相関関係が見られ、高齢化率の高い市町村ほど社会保障給付の割合が高くなっている。

「家計所得」というのは、経済主体の一つである家計部門（個人企業を含む）が受け取った所得を把握する目的で、熊本県が独自に算出している指標であり、「雇用者報酬（給与等）」や「社会保障給付（各種年金等）」などで構成されている。社会保障給付には、健康保険（医療の現物給付）も含まれている。なお、これは市町村の経済水準を比較することなどを目的として推計されたもので、個人の年収や家計の実収入を求めるために推計されたものではない（熊本県ウェブサイト)。

「家計所得」は市町村平均で約三〇〇万円であり、そのうち約一〇〇万円を社会保障給付が占めている。市町村別の構成比についてより詳しく見てみると、社会保障給付の割合が四割を超えるところもあれば、二割台のところもある。こうした割合の差には、高齢化率が大きな影響を与えている。

したがって、高齢化率の高い市町村ほど、年金給付や医療機関受診によって社会保障を通じた「所得」のウエイトが高くなり、結果として、サービス業においては、医療・介護といった公共サービス業への特化が進んでいるものと考えられる。これらの地域では、高齢者の消費が地域の小売業を支えていることになる。このようにして、社会保障が地域の産業構造を形づくっているのである。

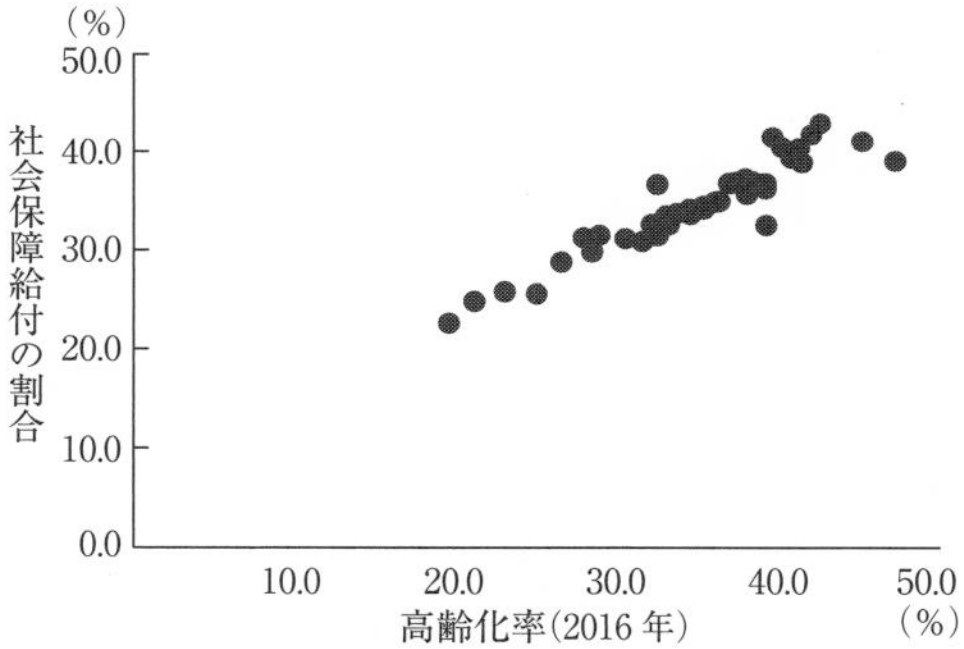

(出所)「住民基本台帳に基づく人口，人口動態及び世帯数」および「平成28年度市町村民経済計算(熊本県)」より作成.
(注) 横軸は高齢化率，縦軸は「家計所得」に占める社会保障給付の割合.

図3-5 熊本県内市町村における高齢化率と「家計所得」に占める社会保障給付の割合

前章において、長野県須坂市の中心街で閉店した商業ビルの土地を近隣の医療法人が取得した例を挙げたが、こうしたことは、社会保障が形づくる地域経済を象徴するような出来事である。

第4節 「臨界点」はどこにあるのか

なぜ衰退が止まらないのか

本章でここまで述べてきた内容を簡単にまとめよう。

一九六〇年代から七〇年代にかけて、農林業や鉱業といった基盤産業が衰退した地域の中で、産業の交代が起こらなかったところでは、その後、著しい人口減少と高齢化が見られた。他方で、大都市や都道府県庁所在地、それに匹敵する規模をもつ上位都市では、移出型サービスである事業所サービス業が新たな基盤産業として発展し、そのことによってさらに他地域の人々や消費を引きつけ、ますます発展している。こうした都市以外の地域では、サービス経済化は進んでいるものの、その中身としては、医療・介護を中心とした公共サービス業への特化が見られる。そして、その背景には高齢化の進展にともなう社会保障給付の増加がある。

ここまで論じてきた内容を踏まえれば、地域が衰退する理由は明らかである。すなわち、地域外へ生産物を移出し、地域外から所得を得る基盤産業が衰退した地域は、衰退することが避けられないのである。こうした地域から多くの人々が、一九七〇年代頃までは製造業で、その後は第三次産業で働くために出て行った。人口が減少すれば、かつては地域で成り立っていた、小売業や個人向けサービス業も衰退し、地域衰退に拍車をかけることになる。このような過程の中で、高齢化率も一層高まっていく。

他方で、高齢化率が高まっていくのにともなって、社会保障給付が、医療・介護を中心とした産業構造を地域に作り出すことになる。しかし、特に規模の小さい市町村では、これらの産業は、地域外から所得を得る基盤産業になることはなく、地域内の高齢者の需要で成り立つ非基盤産業となる。たとえば、大都市では、特定の病状を専門とする医師を抱えた病院による高いレベルのサービスが成立する。こうしたサービスは利用頻度が低いため、それが成立するには一定以上の市場規模(人口規模)が必要だからである(加藤 二〇一〇)。

総務省の「都市機能の立地状況」によれば、専門的な医療が必要と紹介された患者に医療を提供することができる地域医療支援病院が、当該市町村に立地する割合が八〇%以上になるのは自治体の人口二〇万人以上、重症の患者に対して高度な医療を提供することができる救命救急センターは人口二五万人以上となる(総務省ウェブサイト「定住自立圏構想における基本問題検討ワーキンググループ(第四回)」)。

これに対して、規模の小さい市町村には、このような「わざわざ行く」病院はほとんどないため、病院がサービスを他地域に移出することは難しく、基盤産業にはならないのである。

さらに、第1章で、病院数や医師数がゼロになった市町村を紹介したが、人口減少によって一定の需要規模がなくなってしまえば、サービス供給が行われなくなり、産業そのものが成り立たなくなってしまう。

ただし、介護分野については、小規模の自治体でもサービス供給は存在している。先の「都市機能の立地状況」によれば、介護老人福祉施設(特別養護老人ホーム)は四〇〇〇人以上、通所・短期入所介護事業(デイサービスセンターなど)は八〇〇〇人以上の人口規模になると、その自治体に立地する割合が八〇%以上となる。本章で取り上げた群馬県南牧村でも、これらの施設・事業は運営されている。

ここまで具体例を挙げてきたが、小売業の地理的立地にかかわる理論には、「成立閾の原則」というのがあり、これはサービスの分野でも適用することができる。成立閾とは、財・サービスを供給する施設の立地にとって必要な最小限の需要量(人口)である。成立閾の大きさはサー

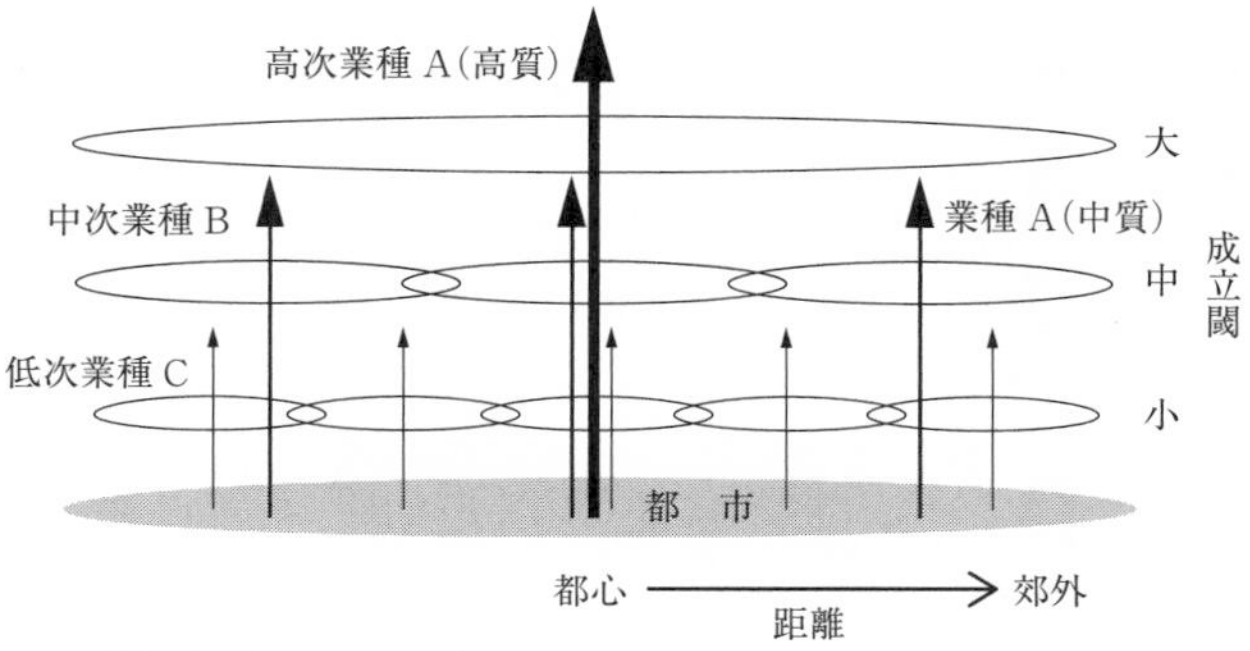

（出所） 林(2015)163 ページより引用.

図 3-6 サービス業の成立閾

ビスの種類によって異なり、同じ種類のサービスでも質が違えば大きさも異なる（林 二〇一五）。

先に挙げた高度な医療サービスを提供する病院は成立閾が大きく、図3-6中の「高次業種」に対応している。他方、診療所や介護施設のそれは小さく、図中の「低次業種」に対応している。そして、前者は大都市に立地することが多く、基盤産業になり得るのに対し、後者は規模の小さい自治体にも立地するが、基盤産業にはなりにくい。

本書で繰り返し述べてきたことであるが、基盤産業が衰退した地域は衰退することが避けられない。さらに、診療所の成立閾を下回るほど人口が減少してしまい、医師数がゼロになってしまったところなどは、より一層衰退が進むことになる。

基盤産業がなくなり、若年層が地域外に流出し、少子化が進展するにともなって、小学校の統合が進められることになる。小学校がなくなってしまうと、校区の住民の活動場所や交流拠点という地域拠点機能がその地域から失われる。また、小学校は校区内の子どもを集めるという特性によって子どもの存在を強く感じさせる場所、若年層の存在を示す場所として機能している。こうした機能をもつ小学校がなくなるということは、その校区から若年層がいなくなり、地区の持続や再生産が困難であることを可視化することになる。小学校は校区の「将来性」の象徴として機能しており、それがなくなることで、校区や地域全体への諦めがさらに強まる可能性がある(長尾二〇一八)。

こうしたことから、公共サービス業の中でも医療や教育が成り立ちにくくなるほど人口減少が進んだ状態は、地域衰退が止まらなくなる「臨界点」であるといえるであろう。かつて農林業や鉱業で栄えた地域には、現在、「臨界点」に達したところが多いと思われる。

財政にも及ぶ衰退

「臨界点」に達した地域の財政は、かなり厳しいものとなる。前章で長野県王滝村の事例を取り上げたが、基盤産業を失い、スキー場経営も悪化する中で、財政は危機的状況に陥り、村民向けのサービスは削減された。

このように、自治体に立地する産業は、その自治体の財政力に大きな影響を与える。辺他(二〇一八)は、自治体財政力の分布が、財政力の高い地域と低い地域とに二極化している要因として、一九九〇年代までは自動車関連産業、二〇一〇年代に入るとサービス業の立地があることを明らかにしている。特に近年では、自動車関連産業が立地しているにもかかわらず、財政力がそれほど高くない自治体がある一方で、サービス業の売上高が大きい自治体は財政力が高くなっていると指摘している。サービス業が基盤産業になっていることが自治体財政にも大きく寄与しているのである。

他方で、基盤産業が失われた地域では、財政的な余裕はない。極端な例として財政破綻した北海道夕張市があるが、破綻しないまでも、破綻しそうになった王滝村の事例はすでに見た通りである。

先に述べたように、地方財政制度の中に地方交付税制度があり、自治体ごとの標準的な水準の行政を行うために必要な財源は交付されていることになっている。この制度によって、財政力の低い自治体でも住民に行政サービスを提供することができるが、二〇〇一年度に行われた制度変更によって、地方交付税の代わりに臨時財政対策債(以下、臨財債)という地方債を発行して、必要な財源の一部を賄うことになった。前章で取り上げた地総債のように、臨財債の元利返済の費用の一部は、地方交付税の算定基礎である基準財政需要額に計上される。こうした手当てはなされるものの、自治体は標準的な行政を行うために借金せざるを得ない状況に陥っている。

このような中で、財政的な余裕がない、基盤産業を失った自治体では、財政に対する制約が強まる中で、住民に対する行政サービスを提供するだけでなく、地域衰退を打ち破るために「活性化」を目指して事業を行おうとすることが多い。財源が少ない中でそれを行おうとするため、国がこうした事業の財源を与えるとなると、その誘導に乗りやすい。

では、このような著しい地域衰退に対して、国はどのような取り組みを行ってきたのであろうか。次章で詳しく見てみよう。

コラム3◆「発展なき成長」

第3章において地域経済の特徴を述べるにあたって、一部に安東(一九八六)による説明を用いているが、安東は一九六〇～八〇年代の地域経済を「発展なき成長」の過程として描いている。ここで、「成長」とは「自分の身体が大きくなる」ことを意味し、「発展」とは「自分で自分を大きくしていく力が大きくなる」ことを意味している。

彼は、地域経済に「大都市の企業や中央の行財政への依存・従属を大きくし、「体」だけが大きくなった大変もろい構造がつくり上げられた」と論じている。

その内容については、次のような説明がなされている。

日本の高度経済成長の後半をリードした機械工業の生産体系は、数次にわたる広範な下請けを傘下に置いた垂直的な分業を特徴としている。すなわち、一〇〇〇～二〇〇〇人規模の機械組立工場から数十人規模の電子部品加工などの下請工場まで、縦のラインで生産活動を分担しあう。

この機械工業の地方分散の過程は、全国を網の目のように覆う、垂直的な地域間分業体系の編成の過程であった。この過程を通して、地方は日本の工業生産体系の中で、ある特定の役割を担う経済単位へと変わっていった。

地方への工場進出は、最終組立工程など付加価値の高い部門を大都市圏やその隣接地域に残したまま、部品加工など比較的単純な生産工程だけが切り離されて進出してきたケースが多数であった。

また、進出してきた工場は、景気変動や海外との競争条件の変化にともなう親企業の生産計画の変動によって、拡大―収縮、進出―撤退を繰り返す緩衝器の役割を担わされている限界的な性格をもつものが多かった。

一九六〇年代後半から七〇年代にかけての地方の急速な工業化は、このような垂直的な分業によって可能となった。地域に十分な資本や経営技術、生産技術がなくても、労働力と土地を提供でき、幹線道路につながる道路網がそなわっていれば、簡単に工場を誘致することができた。

企業は工場分散によって、地方の労働力を基幹労働力の周辺に位置する補助的労働力として組織し、生産を拡大することができた。労働力が周辺的・限界的な生産要素として機能するためには、それが低コストであり、景気変動や生産計画の変更に応じて調整が容易である必要がある。そうした労働力を供給したのは、農家の世帯や主婦であり、特に農家の兼業労働力は、地方の労働力の基本的な源泉であった。農業政策などを通じた地方に対する幅広い財政資金の投下は、こうした人々が「兼業」という形で不安定で低賃金の仕事に就くことを容易にした。

このようにして、地方経済は自立性の喪失＝縁辺化していった。企業内分業システムの社会への拡大と財政資金によって、地域経済の姿は作り出されたのである。

以上が、安東の議論である。このような見方は、本書の「なぜ地域は衰退しているのか」という問いに対して重要な示唆を与える。すなわち、企業内分業システムが変化して地域から工場が撤退し、さらに政策が変更されて地域に投下される財政資金が減少すると、その地域の経済は存立基盤を失ってしまう。その結果、地域は衰退に至る。地域経済は自立性を喪失しているため、その浮き沈みは企業と財政の論理によって決定されてしまうのである。

第4章

「規模の経済」的政策対応の問題点

前章では、地域衰退の現状と要因について、産業の動向を中心に検討を行った。一九六〇年代から七〇年代にかけて農林業や鉱業といった基盤産業が衰退した地域で人口流出が進み、それにともなって小売業や個人向けサービス業も衰退した。さらに、地域の高齢化率が著しく高まり、社会保障給付が医療・介護を中心とした地域の産業構造を形づくった。しかし、こうした産業は、基盤産業にはなりにくく、その地域の財政も厳しい状況にある。

こうした基盤産業と地域の衰退に対して、国はどのような取り組みを行ってきたのか。本章で見ていこう。

第1節　農業の大規模化は農村の持続を困難にする

農業経営と「規模の経済」

これまで国が行ってきた、基盤産業と地域の衰退に対する政策の多くに共通するのは、規模を大きくすることによって衰退を食い止めようとする考え方である。これを「規模の経済」的政策対応と呼ぶこととしよう。こうした政策の代表例として、農業の大規模化がある。

農林水産省はホームページ上で子ども向けに大規模化のメリットを次のように説明している。

農業の大規模化のメリットはなんですか。

大規模化をおこなうと、農家一定の面積あたりの作業労働時間が減少したり、生産するときの費用が下がったりします。たとえば、田植機が一回に八本ずつ植えていくのは、四本ずつ植えていくのより、同じ面積の田植えをするときに、二分の一の時間でできます。しかし、八本植えの機械は、四本植えの機械よりたいへん値段が高いので、小さな面積だとかえって費用が高くなります。

そこで、大規模化をおこなうと、効率的に機械が使え、費用が割安になります。農林水産省では、四五年前から農家の大規模化と農地の整備を進め、費用削減と農家の所得確保をめざしていろいろな方法をとってきましたが、なかなか農家の大規模化は進みませんでした。農家の規模拡大は、いろいろな問題があってなかなかむずかしいのですが、農林水産省では、いろんな法律を作ったり、昔作った法律を直したりしています。

（農林水産省ウェブサイト「消費者の部屋」（国立国会図書館　二〇一六年七月六日保存））

表 4-1　5ヘクタール以上の大規模農家の比率

（単位：%）

	2010 年	2015 年	差
北海道	72.9	75.0	2.1
東北	7.8	10.4	2.6
北陸	6.8	9.4	2.6
関東・東山	3.5	4.8	1.3
東海	2.0	2.9	0.9
近畿	1.7	2.5	0.8
中国	1.9	2.7	0.8
四国	0.9	1.5	0.6
九州	4.5	6.0	1.5
沖縄	5.9	5.8	－0.1

（出所）「農林業センサス 2015」より作成.

大規模化すればコストが削減され、効率化が進むというのである。

農地の集積は進みつつある

では、実際に農業の大規模化はどの程度進んでいるのであろうか。表4-1は、地域ブロック別に大規模農家の構成比を示したものである。農林水産省が、農業の実態を五年に一回調査している「農林業センサス」のデータによれば、二〇一〇年と一五年とを比較して、北海道、東北、北陸において五ヘクタール（五万平方メートル）以上を耕作する経営体は、構成比で約二〜三%ポイント増加している。

規模の拡大とともに、法人形態による農業経営が多くなっている。図4-1は、農業経営体数と組織経営体（家族経営体以外のものを指す）のうち法人経営体数、さらにその割合を示したものである。この図からわかるように、規模が大きくなればなるほど法人形態をとる農業経営体は増加している。

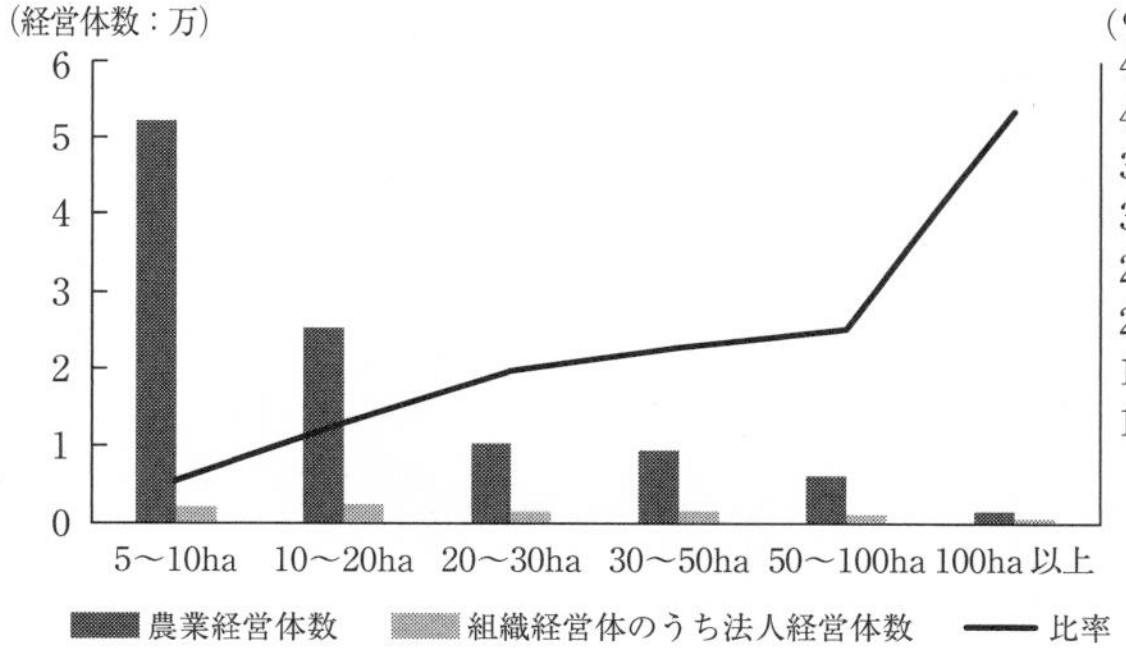

(出所)「農林業センサス 2015」より作成.

図 4-1 5ヘクタール以上の大規模農家に占める組織経営体のうち法人経営体の割合

これらのデータから、農業の大規模化は少しずつ進んでおり、それは個人農家の拡大だけでなく、法人形態の経営体の拡大によって生じていることがわかる。

大規模化でコストは削減されるのか

農業の規模が拡大していく中で、肝心のコストは削減されているのかが政策の効果を考える上で重要なポイントになってくる。すでに述べたように、農林水産省は農業の規模を拡大することによってコストを削減することが可能であると説明していたが、実際はどうなのだろうか。

これに関しては、実は規模が大きくなればなるほどコストが削減されるわけではないことが、すでにいくつかの研究で明らかにされている。

たとえば、秋山(二〇一四)は、コメの生産において、個別経営の場合には七ヘクタール程度で、組織経営の場合には一五ヘクタールで、一〇アール(〇・一ヘクタール)当たり生産費の費用曲線は水平になり、規模の経済の効果が頭打ちになることを示している。

また梅本(二〇一四)は、比較的小さい規模で生産費がコストダウンの限界に到達してしまう理由を、規模が大きくなっても技術体系は変わらないこと、すなわち、機械体系、作業方式、耕種概要(単位面積当たりの作物の植え付け株数や肥料の量など)に関して、規模間でほとんど差がないことが大きいと説明している。一〇〇ヘクタールを超える大規模経営も、五ヘクタールの経営も、作物の生産に必要な一連の工程である作業体系としては基本的に同じである。そのため、機械一セットと運転者一人の下では、一〇ヘクタール程度の規模で限界に達してしまうとともに、規模がN倍になれば機械もNセットになることから、生産・販売数の増減に関係なくかかる固定費は低下せず、一方では圃場数の増加・分散化にともない、様々な非効率が発生することになる。

ここまで、コメの生産には規模の経済が働くわけではないことを詳しく述べてきたが、先に挙げた「農林業センサス二〇一五」によれば、農業経営組織のうち約五〇%が稲作単一経営であるため、大規模化によるコスト削減に限界があることの意味するところは大きい。すなわち、農業経営組織の半分が規模の経済が働かないコメの生産に従事しているのである。

さらに、平石(二〇一四)は、大規模畑作における規模の経済性の小ささを明らかにしている。実際に大規模畑作が行われている北海道十勝地方では、一〇アール当たり農機具自動車費+労働費は、作付面積が一〇ヘクタールを超えたあたりで低減しなくなっている。また、家族労働力の下での耕作限界規模に達するほどの大規模経営では、一〇〇ヘクタールを超える経営体でさえも、家族労働力ではなく、家族以外の人を雇う雇用労働力を用いた経営のあり方は未確立である。すなわち、人を雇うための費用がその効果に見合わない。

こうした研究結果から、農業が大規模化されればされるほど農業者が規模の経済のメリットを享受して、農村地域が活性化するとは必ずしもいえない。たしかに大規模化にともなって収入は増加すると考えられるが、コスト削減の効果には限界があり、規模拡大に必要な人材活用のノウハウも未だ確立されていない。衰退した地域でかつては基盤産業であった農業の活性化を、大規模化で図っていくのは難しいのである。

農業の大規模化が及ぼす悪影響

農業を大規模化したところでコストを削減する効果には限界があることを明らかにした研究

にとどまらず、農業が大規模化するほどコミュニティに悪影響を及ぼすことを明らかにした研究もある。

森田(二〇一四)によれば、一九四〇年代のアメリカにおいて、人類学者のウォルター・ゴールドシュミットが、カリフォルニア州セントラル・ヴァレーに位置する面積、産物、生産量、人口規模がほぼ同じで、農場のサイズだけが大きく異なっている二つのコミュニティを比較して調査を行った結果、農場の規模が大きくなるほど、コミュニティの生活の質は低くなるという主張を展開している。ゴールドシュミットは生活の質を、銀行、新聞、学校、地域のクラブ、退役軍人協会、教会の数などで測り、農場の平均サイズが小さいコミュニティの方がむしろそうした施設の数が多いことを明らかにしている。

また、社会学者のロバオとストッファーランは、分業に基づく非家族経営の工業化された農業がコミュニティの幸福度に悪影響を及ぼすのか否かについて、一九三〇年代から二〇〇〇年代までの既存の研究を調査している。その結果、五一の研究のうち、八二%が悪影響の証拠を示したこと(五七%が著しく有害な影響、二五%がいくつかの有害な影響)を明らかにしている。これらの影響は、様々な研究デザインを用いたもので、異なる期間と地域にわたって示されている。工業化された農業の有益な効果は少なく、家族経営よりも収入が大きくなるといった、主に所得に関係する社会経済的状況に限られていた。ただし、コミュニティの中の所得格差は大きくなる(Lobao and Stofferahn 2008)。

これらの研究から、我々は農業の大規模化が与える悪影響についても考えなければならない。「農業の大規模化が農村の活性化につながる」という単純な図式は成立せず、むしろ農村を衰退させる可能性すらあるのである。

国連「家族農業の一〇年」

ここまで見てきたように、農業を大規模化することによってコストを削減するのには限界があり、「規模の経済」に基づいて衰退を食い止めようとする政策の効果には疑問が残る。むしろ大規模化が地域に悪影響を及ぼす可能性もある。

こうした懸念がある中で、近年では、小規模農家の重要性が見直されている。

国際連合は、二〇一七年の国連総会において、二〇一九〜二〇二八年を「国連家族農業の一〇年」として定め、加盟国および関係機関等に対し、食料安全保障確保と貧困・飢餓撲滅に大きな役割を果たしている家族農業に係る施策の推進・知見の共有等を求めている。活動の柱としては、①家族農業を強化する政策環境の整備・発展、②若者の支援と家族農業の世代を超えた持続可能性の確保、③家族農業のジェンダー公平性と農村女性のリーダーシップ的役割の促進、④知識の生産と農家の声の代表、都市と農村間をまたぐ包摂的なサービスの提供のための、家族農家組織と能力の強化、⑤家族農家や農村世帯・コミュニティの社会経済面での包摂性やレジリエンス、福利の強化、⑥気候レジリエンスあるフードシステム構築のための家族農業の持続可能性の促進、⑦地域開発、生物多様性・環境・文化を保護するフードシステムに貢献するイノベーションを促進するための多面的な家族農業の強化、の七つが挙げられている。

また、国連食糧農業機関(FAO)によれば、家族農業は、開発途上国、先進国ともに、食料生産によって主要な農業形態(世界の食料生産額の八割以上を占める)となっており、社会経済や環境、文化といった側面で重要な役割を担っている。日本の農林水産省も、家族農業経営については地域農業の担い手として重視しており、食料・農業・農村基本法に基づき家族農業経営の活性化を図ろうとしているとのことである(農林水産省「国連「家族農業の一〇年」」二〇一九―二〇二八」)。なお、この基本法は、旧農業基本法に代わる農業に関する制度や政策等の基本方針を示す法律として一九九九年に定められ、食料の安定供給の確保、多面的機能の発揮、農業の持続的な発展、農村の振興、の四つを基本理念として掲げている。

農業生産だけでなく、地域を支えるのは小規模な家族単位の農家であり、大規模な農業法人ではない。政府は、農業の規模を拡大することによって地域の衰退を食い止めようとするのではなく、小規模農家を前提に、いかにして農業を守り、地域を守っていくかを中心に据えて政策を展開すべきである。

第2節 林業の規模拡大でも森林の荒廃は止まらない

森林経営管理制度の導入

本書で取り上げた長野県王滝村や群馬県南牧村がそうであったように、林業はかつて地域の基盤産業であった。この林業分野においても、規模を大きくしようとする政策が進められている。そのための具体的な取り組みが、政府が「林業の成長産業化の実現と森林資源の適正な管理の両立を図る」ために二〇一九年四月からスタートさせた「森林経営管理制度」である。

この制度の概要は図4-2で示されている。同制度では、市町村が仲介役となり、適切な経営管理が行われていない森林の経営管理を、「意欲と能力のある林業経営者」に集積・集約化するとともに、林業経営に適さない森林については、市町村が管理を行うとされている。

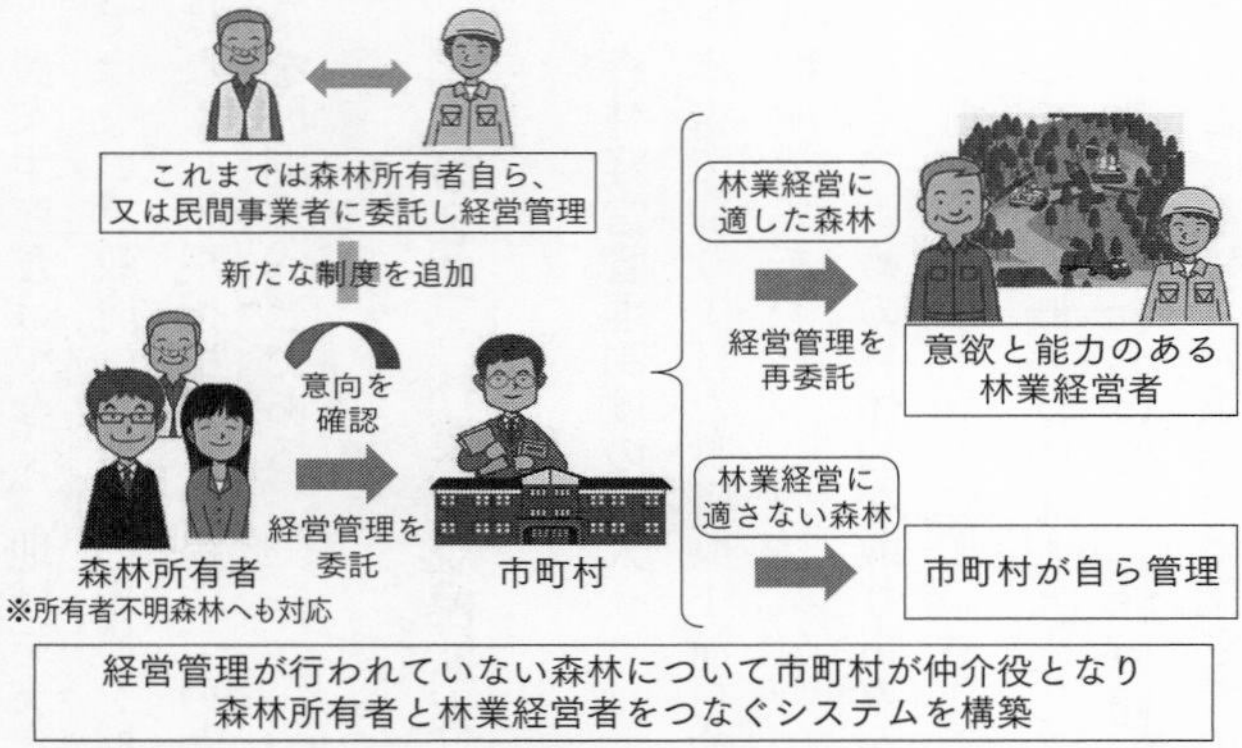

（出所）林野庁(2019)「森林経営管理制度(森林経営管理法)の概要及び林務部局と地籍調査部局の連携について」(https://www.mlit.go.jp/common/001270598.pdf)より引用．

図 4-2　森林経営管理制度の概要

この制度は、森林所有と林業経営を切り離し、後者の活動を、より自由に展開できるように設計されている。いわゆる「所有と経営の分離」である。法文中にはこれは明示されていないが、その意図は明白である。所有と経営の分離を図り、経営を大規模化することで、林業の衰退を食い止めようとしているのである(川村 二〇一九)。

市町村は森林を適正に管理できるか

森林経営管理制度において、市町村の役割は大きい。

制度運用の第一段階では、森林の樹木を伐採し枝を払って林道まで集める「伐出《ばっしゅつ》」や、森林を育てる「育林」などの生産活動が十分行えない所有者の所有地（私有の人工林）を市町村が特定して、さらに所有地の経営権を所有権から切り離す同意を所有者から取り付ける必要がある。同時に、市町村は経営権を得た森林をまとまりのある経営対象地に編成しなければならない。第二段階では、委託を受けた「人工林」のうち経営可能と判断された森林については、経営能力のある「民間事業者」を選んで、再委託しなければならない。さらに、再委託できなかった森林については、市町村自らが経営しなければならない。つまり、市町村は単なる仲介者ではなく、経営的判断をもったプロデューサーとしての役割が求められる。しかし、こうしたことが市町村に可能であるのかは疑問が残る（同右）。

こうした業務遂行能力への疑念は、林業関係職員数の実態からも浮かび上がってくる。今井（二〇一八）によれば、全国の市町村の約四割には林業を専任としている職員はおらず、専任職員が一人しかいない市町村とあわせると一一一〇となり、全体の三分の二近くを占める。

また今井は、事例として次のようなケースを挙げている。ある町では、町内に林業事業者二社と広域の森林組合があるが、その町の国有林や天然林を除いた森林面積は約五〇〇〇ヘクタールで、三者が現実的に管理できる五〇ヘクタールを大きく上回っているという。

後述するように、林業経営者はこうした組織に限られるわけではないが、森林のほとんどを市町村が直接管理する可能性もあり、林業関係職員の質と量の実情を踏まえれば、こうした森林が適切に管理されることは期待できない。

森林環境税の導入とその配分

森林経営管理制度とセットで導入されたのが、国税である森林環境税である。この税は、森林が有する公益的機能を維持・増進するため、市町村と都道府県が実施する森林整備およびその促進に関する施策の財源に充てるためとして創設された。全市町村が個人住民税とあわせて一人年間一〇〇〇円を徴収し、都道府県を経由して全額を国の特別会計に払い込むことになっている。そして、払い込まれた全額を森林環境譲与税として、総額の九割を、私有林人工林面積(一〇分の五)、林業就業者数(一〇分の二)、人口(一〇分の三)で按分して市町村に、残りの一割を、同じ基準で都道府県に譲与するという形になっている。その使途は、市町村においては、間伐や人材育成・担い手の確保、木材利用の促進や普及啓発等の森林整備およびその促進に関する費用、都道府県においては、森林整備を実施する市町村の支援等に関する費用である(総務省ウェブサイト「森林環境税及び森林環境譲与税に関する法律案の概要」)。

二〇一九年度には総額二〇〇億円(都道府県に対して四〇億円、市町村に対して一六〇億円)が国の特別会計から譲与された（総務省ウェブサイト「地方財政審議会付議（説明）案件」（二〇一九年九月二七日））。

先に述べたように、森林経営管理制度では、業務遂行能力に疑問符がつくものの、市町村が大きな役割を果たすことになるのだが、もしも財源となるこの森林環境譲与税がそれなりの規模であれば、業務遂行可能になるかもしれない。しかし、先述の按分の仕組みのために、その配分は実は森林がそれほど多くない大都市部に偏ってしまっている。

表4−2は、二〇一九年度における市町村に対する森林環境譲与税の譲与額の上位一〇市町村を示したものである。この表から、このうち七つが政令指定都市（横浜市、浜松市、大阪市、静岡市、京都市、札幌市、名古屋市）となっていることがわかる。これは譲与基準に人口（一〇分の三）が含まれているためである。このように、多くの森林を抱える自治体に対しては配分額が少なく、大都市部の方で配分額が多くなってい

表 4-2　森林環境譲与税譲与額の上位 10 市町村

（単位：万円）

市町村名	譲与額
神奈川県横浜市	14,209
静岡県浜松市	12,134
大阪府大阪市	10,961
和歌山県田辺市	10,571
静岡県静岡市	10,097
京都府京都市	9,626
北海道札幌市	9,380
愛知県名古屋市	8,929
岐阜県郡上市	8,487
大分県日田市	8,296

（出所）総務省ウェブサイト（https://www.soumu.go.jp/main_content/000652364.pdf）を基に作成.

（注）元データでは 2019 年度分の譲与額の 1/2（都道府県と市町村合わせて 100 億円）が 2019 年 9 月期の譲与額として示されているため，単純に 2 倍にした数値を示している.

る。

しかも、横浜市、大阪市、名古屋市は、二〇一四〜一六年度の林業費の平均額がゼロ円なのである(吉弘二〇一九)。林業費は、林業関係職員の人件費、造林事業に要する経費、林道の開設・改良などに充てられる経費である。したがって、林業費がゼロ円ということは、自治体が林業政策を行うために支出する経費がゼロということである。

このような配分を続ける限り、森林経営管理制度に必要な財源を自治体が獲得できるとは考えられない。林業関係職員の質と量、さらに財源の問題から考えて、市町村による森林の適正管理はやはり困難であると判断せざるを得ない。

なお、林野庁による自治体担当者向けの質疑集では、森林環境税の不適切な使途として、森林担当の正規職員の人件費に充てることが挙げられている(飛田二〇一九)。したがって、この税を財源として職員の充実を図ることは困難であると考えられる。

「意欲と能力のある林業経営者」と五〇年皆伐《かいばつ》

先に述べたように、森林経営管理制度では、委託可能、すなわち採算ベースに乗りそうな森林は「意欲と能力のある林業経営者」が管理を行い、そうでない森林は市町村が管理することになっている。しかし、市町村による管理には限界があることが予想されることから、今後はかなりの割合の森林が林業経営者によって管理されることが目指されるようになるかもしれない。

では、この制度に基づいてそうした経営が委託された森林では、経営者はどのように収益を確保することになるのであろうか。

中嶋(二〇一八)は、「素材生産業者」(立木を伐採して素材(丸太)に加工する)が意欲と能力のある林業経営者として位置づけられているが、素材生産業者からすると生産量が少なければ赤字となってしまうため、五〇年皆伐(一定のまとまりのある森林の材木を一度に全部伐採すること)の短伐期皆伐施業ばかりになる可能性を指摘している。つまり、森林にとっては、短い期間で木がすべて伐採されてしまうことになるのである。

素材生産業者が収益を確保できる事業ということであれば、すなわち市町村にとっても委託可能な森林ということになる。ところで、先に全国の市町村の約四割には林業を専任としている職員がいないことに触れたが、これは森林経営が委託可能であるかを判断する人材が市町村で不足していることを意味する。そのため、市町村が独自に経営可能性を判断するのではなく、素材生産業者に近い外部のコンサルティング業者などを通じて、委託する森林を決定することも起こり得る。そして、このことは地域の山林が大規模に伐採されることにつながりかねない。

ただし、林野庁の説明によれば、この制度は所有者の意向を無視して運用されるものではないとされているので、たとえ経営が素材生産業者などに委託された森林であっても、所有者の意向は反映されることになっている。たとえば、所有者の意向を無視し、標準伐期齢(標準的な材木を伐採する林齢)で主伐(更新をともなう伐採)が進められることはないとされている。

なお、林野庁は、森林経営制度が導入される前提となる森林資源の現状を、「五〇年生を超える人工林が五〇%」であるため「活用できる資源が充実」していると説明しているが、中嶋は、「五〇年生超」というのは、質の良いA材と呼ばれる製材に使われる材木の生産の始まりに過ぎず、それを「主伐期を迎えている」として五〇年程度で主伐・皆伐して、またB材以下の生産を主として質の良いA材の生産をゼロに戻すのは大きな間違いであると論じている。

また、田中(二〇一九)によれば、樹齢四〇〜六〇年生のスギは、人間でいえば一〇代後半から二〇代前半のイメージで、材の細胞が十分に成熟していないと乾燥時の狂いが大きく、強度も低くなる。

こうした議論を踏まえれば、五〇年という樹齢で伐採してしまうのではなく、木をより長く育てて高付加価値なものにして生産性を高め、林業を持続可能なものにしていくことが重要であると考えられる。森林の管理は、林業経営者、中でも素材生産業者の短期的な利益でなく、あくまでも林業や地域の長期的利益という視点から行われるべきであろう。

「自伐型林業」という可能性

このような林業のあり方を可能にしていく一つの方策として、「自伐型林業」という新しい林業のスタイルがある。これは、限られた森林を離れず（山守型）、自ら持続的に経営・管理・施業をしながら、毎年収入を得ていく、低投資・低コストの「自立・自営の林業」である。特に中山間地域では、ミカン栽培や畜産などとの兼業によって林業収入が農業を支える「農家林家モデル」（愛媛県西予《せいよ》市・高知県いの町）がある（自伐型林業推進協会ウェブサイト「世界をリードする森林大国日本へ」二〇一六）。先の節で小規模農家の重要性を論じたが、林業においても「小規模」であることが未来の可能性を秘めている。

田中（二〇一九）は、こうした林業は主流にはなり得ないと論じているが（請負業者と明確なシステムの違いを発揮できないなどの理由）、このような小規模な林業が存在し、地域を支えていくことも重要である。政府は、農業だけでなく林業についても、その規模を拡大することによって地域の衰退を食い止めようとするのではなく、小規模でも持続可能な林業を実現し、地域を守っていくための政策を展開すべきである。

ちなみに、すでに自伐型林業に取り組もうとする林業者が活用できる林野庁の「森林・山村多面的機能発揮対策交付金」という補助金が存在しており、こうした芽を大きく育てようとする政策も行われてはいる。また、二〇一四年に石破茂地方創生担当大臣(当時)が国会で地方創生の鍵は自伐型林業にあると発言しており、政府も期待を表明してはいる。政府は、自ら進めている政策を無にすることのないように、小規模でも成り立つ林業のための政策を推し進めるべきである。

第3節　市町村合併は歳出の効率化をもたらさない

平成の大合併

規模を大きくすることが問題の解決にならないのは、農林業に限った話ではない。市町村においても似たようなことが生じている。

地方分権の推進、少子高齢化の進展、広域的な行政需要の増大、行政改革の推進などを背景に、一九九九年から二〇一〇年にかけて、いわゆる「平成の大合併」が行われた。中でも一九九九年から二〇〇五年までは、合併特例債という特別な地方債や地方交付税算定における合併算定替の大幅な延長といった手厚い財政支援措置により、続く二〇〇五年以降は、国・都道府県の積極的な関与により、合併が強力に推進された。なお、合併特例債とは、先に取り上げた地総債や臨財債のように、その元利返済の費用の一部が地方交付税の算定基礎である基準財政需要額に計上される地方債である。また、合併算定替とは、合併年度および続く一〇年間は、合併前の別々の市町村が存在するとみなして、合併しなかった場合に算定される普通交付税が全額保障されるという仕組みである。

合併が推進された結果、全国の市町村の数は三二三二から一七二七にまで減少した。

このように市町村合併が進められた背景には、「アメとムチ」を活用した国による政策誘導がある。「アメ」というのは、先に挙げた合併特例債や合併算定替という制度である。他方、「ムチ」というのは、小規模自治体に対する地方交付税の削減である。

青木(二〇〇六)や町田(二〇〇六)は、一九九八〜二〇〇一年度における、小規模自治体に対して地方交付税の割り増しを行う役割を果たしてきた段階補正の見直しや、二〇〇一年度の地方交付税の削減、〇二〜〇四年度におけるさらなる段階補正の見直しが小規模町村を市町村合併に追い込んだと論じている。筆者も人口三〇〇〇人未満の小規模町村において、歳入に占める普通交付税の割合の高いところほど、合併を行う確率が高いことを明らかにしている。こうした分析結果は、財政的に厳しく、財政運営を地方交付税に依存していた小規模町村が、地方交付税の削減によって市町村合併に追い込まれたという主張と整合的である(宮﨑 二〇一八b)。

こうしてアメとムチを用いて進められた市町村合併の効果の一つとして想定されたのが、規模の拡大による経費の削減である。たとえば吉村(一九九九)は、市区においては人口当たり歳出総額が、二〇・九万人で最小となるという推計を行っている。こうした研究は、市町村の人口規模拡大の根拠となった。

経費の削減は実現したのか

では、実際に市町村合併によって経費の削減は実現したのであろうか。

五石(二〇一二)は、合併の有無によって財政指標や職員数の変化にどのような違いを与えているかを検証している。その結果、歳出総額、投資的経費、扶助費、公債費、物件費、人件費といった経費の変化率は、「合併あり」よりも「合併なし」の方が低いことが明らかになっている。また、人口規模を考慮した場合、投資的経費、扶助費、公債費の「非効率度」(一人当たり行政費用が最低となる点からの乖離)は、「合併なし」の方が「合併あり」よりも低くなったことが示されている。すなわち、これらの経費では市町村合併を行ったところの方が非効率であるということになる。

この分析結果は、市町村合併によって市町村の規模が大きくなったからといって、「規模の経済」が働いて経費が削減されるとは限らないということを示唆している。

また、宮崎（二〇一九）は、市町村合併が歳入や歳出に及ぼす影響について、計量的手法を用いて分析している。分析の結果、合併後、歳入と歳出は基本的に増加することが明らかになった。合併から年数を経るごとに歳入や歳出は減少するものの、減少するスピードは遅く、合併前の水準に達するためには数年かかる。中でも人件費と普通建設事業費は、合併直後に増加するが、どちらも減少の速度は遅い。さらに、地方債の残高は合併後に増加し、合併から時間が経っても減少することはなく、増加傾向にある。また、合併には規模の経済による費用削減効果が期待されていたが、現実には必ずしも費用削減効果が認められるものではないと論じている。

さらに、「読売新聞」二〇一九年四月九日付朝刊は、総務省の「市町村の合併に関する研究会」が二〇〇五年度に行った「合併効果が表れるとされる一〇年後には、年間計約一兆八〇〇〇億円の経費削減が見込める」とする推計について、実際にはその二割に過ぎない約三八〇〇

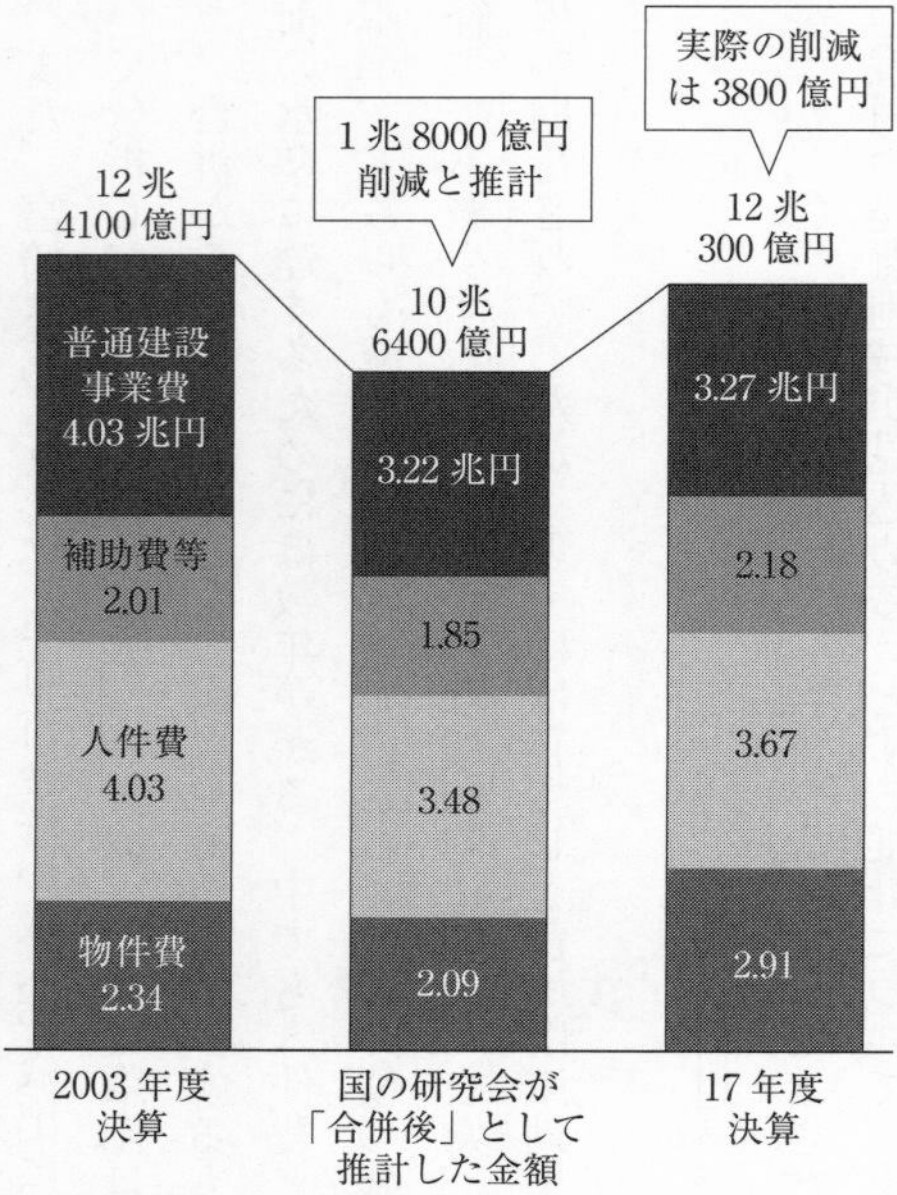

（出所）「読売新聞」2019年4月9日朝刊より引用.

図4-3　合併自治体の経費削減推計額と実際の決算額

億円の削減にとどまっていることを報じている。図4-3ではその比較の数値を示している。

同紙は、五五七自治体の二〇一七年度決算から、同研究会が「合併による効率化が期待される」として試算した人件費、普通建設事業費、物件費、補助費等の四費目を比較し、人件費が約三六〇〇億円、普通建設事業費が約七六〇〇億円削減されたのに対し、物件費が約八二〇〇億円、補助費等が約一七〇〇億円増加したことを明らかにしている。中でも物件費は、公共施設の管理や行政サービスの民間委託にかかる委託料で、合併前の一・五倍に増えていた。同記事は、正規職員の人件費を減らす一方で、民間委託を進めた結果であると指摘している。

この記事からも明らかなように、市町村合併によって歳出が大きく削減されたわけではなかった。合併前に期待された歳出の効率化は実現しなかったのである。

ちなみに、筆者がシドニー工科大学のジョセフ・ドゥリューとダナ・マクウェスティンとで行った共同研究によれば、オーストラリアのニューサウスウェールズ州で二〇一六年に行われた強制的な自治体合併では、期待された歳出の削減は実現せず、むしろ歳出は増加している。中でも合併によって、人件費が増加したという結果が得られた(McQuestin, Drew and Miyazaki, 2021)。

こうしたことから、日本の市町村が特に非効率であるから歳出の効率化が実現しなかったわけではなく、国を問わず、合併という手段で歳出の効率化は実現しない可能性があるといえる。

第4節　大規模化は人口減少に対応できるのか

大きいことはいいことか？

ここまで見てきたように、農業や林業、そして市町村について、それらの規模を大きくすることによって衰退を食い止め、問題を解決しようとする「規模の経済」的政策対応は、その政策目的を達成することができず、むしろ問題を引き起こす可能性がある。かつて高度経済成長期の日本で「大きいことはいいことだ」というキャッチコピーが生まれたが、もはやそのような時代ではない。

さらに、日本では人口減少がすでに始まっており、今後もそれがさらに進む見込みである。そうした中で、規模の拡大を図ろうとしても、大きな困難が待ち受けているといわざるを得ない。

小規模自治体が大半を占める可能性

国立社会保障・人口問題研究所の「日本の地域別将来推計人口」は、そうした人口減少下の市町村の将来の姿を描いている。

図4-4は、地域ブロック別総人口の規模別市区町村割合の将来推計を示したものである。この図から読み取ることができるように、北海道ではすでに、二〇一五年時点で人口五〇〇〇人未満の市町村が四割強に上っている。そしてそれが、三〇年には半数を超え、四五年には七割弱になると推計されている。また四国では、人口五〇〇〇人未満の市町村は一五年の段階で

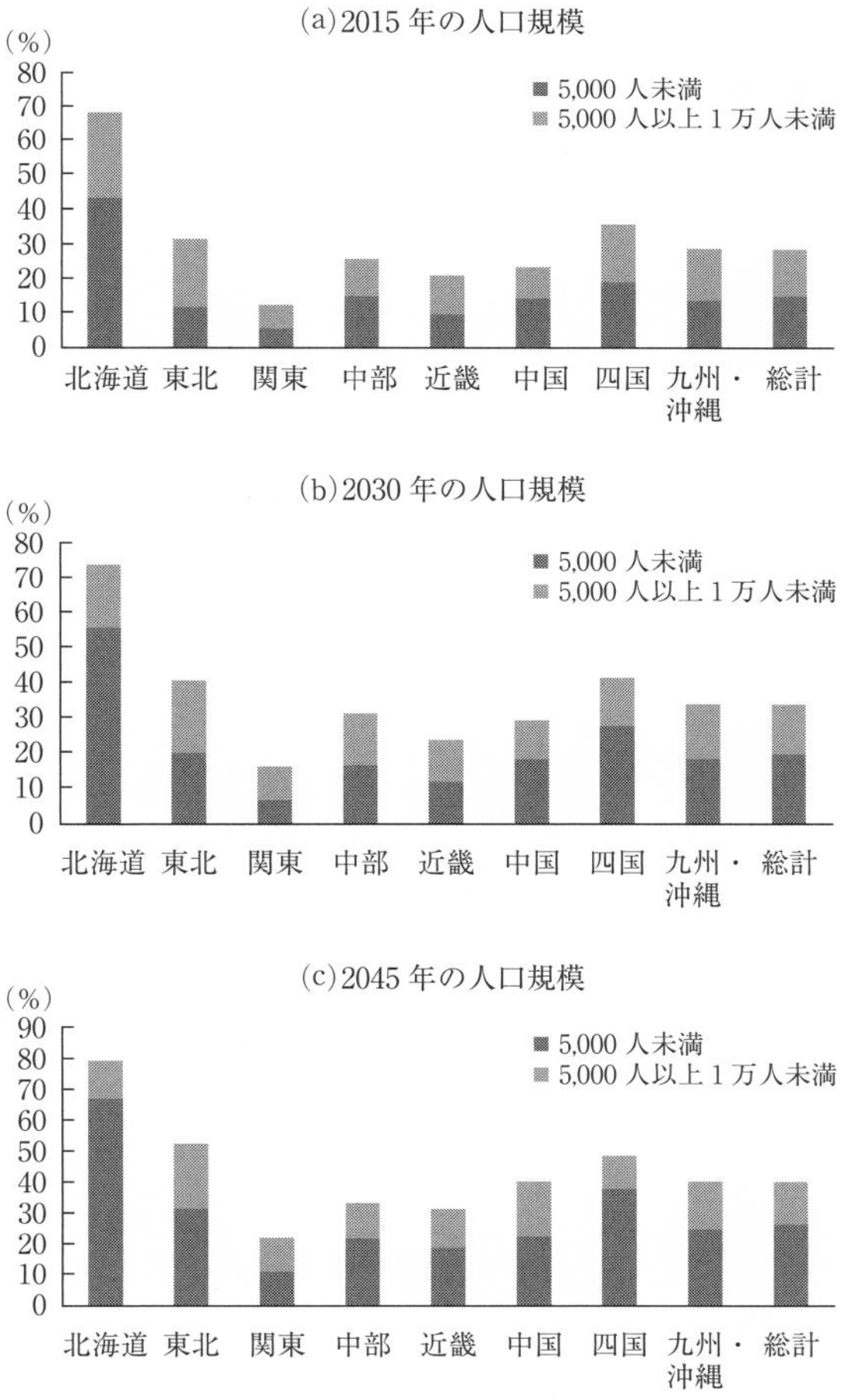

(出所) 国立社会保障・人口問題研究所(2018)「日本の地域別将来推計人口」より作成.

図 4-4 地域ブロック別総人口の規模別市区町村割合

は二割弱であるが、四五年には四割近くになる可能性があるとされている。

さらに、人口規模をもう少し大きくして人口一万人未満までとした場合には、北海道では二〇三〇年には全体の七割強、東北と四国では四割程度が同規模になる。また、四五年には北海道では全体の八割、東北と四国では五割程度になる。このように、将来的には地方圏の一部を中心に小規模自治体がかなり増加していくものと予想されている。

すでに述べたように、市町村合併によって歳出の効率化を図ることは困難であり、仮に合併したところで人口密度の低い広大な市町村が形成されるだけになるだろう。いずれにせよ、そういった人口密度の低い、「疎」な状態が地方圏の一部に広がることになる。近年、人口減少にともない、都市全体の人口密度や土地利用密度が低下する「都市の低密度化」が問題になっているが、今後は「国土の低密度化」も深刻になっていくものと思われる。

「小規模」を前提に政策を組み立てる

本章におけるこれまでの議論やこうした将来像を踏まえれば、人口が減少している日本で、大規模化によって問題を解決するという手法を採ることはもはや適切であるとはいえない。地域衰退を食い止めるために、「規模の経済」を働かせようとするような政策を採るべきではない。

むしろ「小規模」を前提に政策を組み立てていく必要がある。先に述べたように、農業であれば小規模農家、林業であれば自伐型林業といった小さな単位を前提としなければならない。市町村という単位にしても少ない人口で成り立つような仕組みを作っていくべきである。

ところで、高齢化や新型コロナウイルスの感染拡大にともなって、ドラッグストアの成長が著しいが、ドラッグストアの一店舗当たりの商圏(商取引を行う地域的範囲)人口は、約四〇〇〇人であるといわれている。ドラッグストアが生鮮食料品を扱い、スーパーマーケットの「空白地帯」を埋める可能性があることから、ドラッグストアが人口減少を救うといわれることもある。こうした方向は、「範囲の経済」の効果を狙うものである(十六総合研究所編 二〇二〇)。

「範囲の経済」とは、商品の種類を増やすことによって収益を増大させることをいう。ドラッグストアが薬だけではなく、生鮮食料品を扱うことは、住民の利益と企業の収益の向上につながる。また、先に「自伐型林業」のところで述べた、中山間地域におけるミカン栽培や畜産などとの兼業によって林業収入が農業を支える「農家林家モデル」は、まさに「範囲の経済」である。このように、ドラッグストアも、「農家林家モデル」も、人口減少や地域衰退という制約条件の下で成り立つ仕組みを目指している。

こうしたことを踏まえれば、「規模の経済」ではなく、「範囲の経済」を考えて、地域の仕組みを組み立てていかなければならない。地域衰退を食い止めるために、「大きいことはいいことだ」という考え方は、過去の遺物として捨て去られなければならないのである。

かつて一九七三年に、シューマッハーという経済学者が『スモール イズ ビューティフル』という本を著し、世界的ベストセラーとなった。彼はこの本の中で、本のタイトルにもあるように、「小規模なもの」や「小さな集団」の重要性を説いている。

彼は、次のように主張している。多少長くなるが引用しよう。

民主主義、自由、人間の尊厳、生活水準、自己実現、完成といったことは、何を意味するのだろうか。それはモノのことだろうか、人間にかかわることだろうか。もちろん、人間にかかわることである。だが、人間というものは、小さな、理解の届く集団の中でこそ人間でありうるのである。そこで、数多くの小規模単位を扱えるような構造を考えなければならない。経済学がこの点をつかめないとすれば、それは無用の長物である。経済学が国民所得、成長率、資本産出比率、投入・産出分析、労働の移動性、資本蓄積といったような大きな抽象概念を乗り越えて、貧困、挫折、疎外、絶望、社会秩序の分解、犯罪、現実逃避、ストレス、混雑、醜さ、そして精神の死というような現実の姿に触れないのであれば、そんな経済学は捨てて、新しく出直そうではないか。

出直しが必要だという「時代の徴候」は、もう十二分に出ているのではないだろうか。

彼はボン大学でシュムペーターに、ケンブリッジ大学でケインズに学んだ経済学者であるが、七〇年代にすでに「小規模であること」がいかに重要であり、それが様々な問題を解決していくと考えていた。このことを理解できない経済学は「無用の長物である」とまで言い切っている。

人口減少が進む今日の日本では、望むと望まざるとにかかわらず、「小規模なもの」に向き合わなければならない。そうした状況でも、「規模の経済」を働かせることによって問題を解決しようというのは、現実逃避と言わざるを得ない。

こうした価値観の転換を迫られるような厳しい状況の中で、地域衰退を食い止めるためには具体的にどうしたらよいのか。さらに次章で筆者の考えを述べることにしよう。

コラム4◆「密度の経済」

第4章では、「規模の経済」的政策対応について問題点を指摘した。規模を大きくすることが問題の解決にならないのは、すでに述べた通りである。特に市町村合併の場合、人口規模は大きくなったものの、市町村によってはその面積が拡大したことによって、かえって行政コストがかかるようになったところもある。したがって、公共サービスの供給にあたっては、人口だけでなく、面積を考慮する必要があるといえる。人口と面積の双方を反映した人口密度にも着目して、自治体の規模や公共サービスの供給について検討していくべきであろう。

サービスの供給に人口密度が与える影響を明らかにした研究には、たとえば、森川(二〇〇八)がある。これは、民間の対個人サービス(映画館、ゴルフ場、テニス場、ボウリング場、葬儀業、フィットネスクラブ、ゴルフ練習場、カルチャーセンター、劇場、結婚式場業、エステティック業)を対象とした研究であるが、サービス事業所の生産性(付加価値額=売上高−営業費用+給与支給総額+賃借料)は、立地する市町村の人口密度が二倍になると一〇~二〇%程度高くなることを明らかにしている。こうした結果は、「生産と消費の同時性(提供とともに消滅)」が強い対個人サービス業の生産性にとって、立地場所の需要(消費者)密度が大きな影響を与えており、サービスに「密度の経済」が存在することを示している。

第3章で、サービス業が大都市に集中する理由を「集積の利益」を用いて説明した。「集積の利益」は「密度の経済」と関連しているが、前者は供給側に着目した研究で用いられることが多いため、需要側に着目した森川(二〇〇八)は、後者を用いている。

他方、同じ「密度の経済」でも、山内・竹内(二〇〇二)によれば、交通経済学の領域では、「ネットワークのサイズを一定として産出量の増加が費用に及ぼす経済性」をこのように呼んでいる。

山内・竹内に基づいて、航空サービスを例に説明しよう。ある航空会社が初期状態として年間一二〇万人キロを輸送しているとする。なお、人キロとは、運んだ旅客数(人)にそれぞれの乗車した距離(キロ)を乗じたものの累積を指す。交通機関の輸送の規模を示す重要な指標である。この状態から、路線ネットワークのサイズが一定で、産出量=輸送量が三〇万人キロ(二五%)増加することを考えよう。このような増加によって、平均費用が低下するとすれば、それが「密度の経済」である。路線構成が変わらず、利用客が増加すれば、単位費用が低下することは容易にわかるだろう。

交通経済学における「密度の経済」は、鉄道や航空においてその存在が指摘されるケースが多い。

また、交通経済学だけでなく、電気・ガス・水道などを分析対象としている公益事業論の研究の中にも、産出量の増加が費用に影響を及ぼす「密度の経済」が存在していることを明らかにしているものがある。たとえば、浦上(二〇〇六)は、市町村が運営する水道事業の中にこれが存在していることを明らかにしている。

人口密度と産出量の二つの「密度の経済」から、サービスの供給について考えるにあたっては、「密度」を考慮しなければならないことがわかる。「規模の経済」だけでは不十分なのである。

第5章

地域衰退をどう食い止めるか

前章では「規模の経済」的政策対応の問題点を指摘し、地域衰退を食い止めるために具体的に何をすべきかを本章で述べることとした。そこで本章では、これからどうすべきかを論じていく。

第1節　人々が生きていくために必要な社会サービスを確保する

後期高齢者の減少と社会保障給付の減少

まず、改めてこれから何が起きるのかを人口統計に基づいて簡単に触れておきたい。

表5-1は、高齢者数に占める後期高齢者数の割合が高い上位二〇自治体のデータを二〇一八年度について示したものである。あわせて人口、高齢化率、人口に占める国民年金の受給権者の割合も示している。高齢化率と人口に占める国民年金の受給権者の割合はほぼ同じ値となっていることから、高齢化率はその自治体でどのくらいの人々が国民年金を受け取っているのかを示す割合となっていることがわかる。

さて、こうした自治体では、あと一〇～一五年くらい経過すると、年金を受け取っている高齢者の大半は亡くなってしまっている可能性が高い。そしてそれは、その地域における社会保

表 5-1　高齢者数に占める後期高齢者数の割合が高い上位20自治体

自治体名	人口(人)	高齢化率(%)	国民年金の受給権者の割合(%)	後期高齢者数／高齢者数(%)
奈良県野迫川村	418	45.9	47.1	71.9
新潟県粟島浦村	355	44.5	43.4	71.5
長野県平谷村	433	36.5	34.6	71.5
長野県北相木村	768	37.4	35.8	71.4
群馬県南牧村	1,935	61.5	61.8	70.3
和歌山県北山村	449	46.5	44.1	68.9
山梨県早川町	1,091	46.7	45.1	68.6
福島県昭和村	1,294	55.8	55.2	68.6
長野県大鹿村	1,042	47.6	47.3	68.3
福島県檜枝岐村	576	35.1	34.4	68.3
長野県売木村	556	45.3	44.4	68.3
高知県大川村	400	44.8	43.0	68.2
徳島県上勝町	1,582	52.6	50.6	68.1
長野県天龍村	1,355	59.5	58.2	67.4
北海道西興部村	1,117	33.1	29.8	67.3
愛媛県久万高原町	8,537	47.0	45.8	67.2
福島県金山町	2,135	58.5	57.3	67.0
宮城県七ヶ宿町	1,427	47.0	45.8	66.7
長野県南相木村	1,038	41.1	39.8	66.0
奈良県下北山村	934	47.5	47.4	66.0

(出所) 住民基本台帳人口および「事業月報(市町村別状況)」より作成.

障給付の減少を意味する。もちろんその頃には、今の五〇代の人々が高齢者の仲間入りをし、年金を受け取ることになるが、現在ほどその地域の高齢者は多くならないため、社会保障給付は減少することになるのである。

前章の終わりに、国立社会保障・人口問題研究所の「日本の地域別将来推計人口」から、二〇三〇年には小規模自治体がかなり増える見込みであることを述べたが、それは後期高齢者の減少と大きく関係している。こうした自治体は、現在の後期高齢者が亡くなることによって小規模化し、さらに社会保障給付も減少することになる。

医療サービスを維持する

社会保障給付が減少すると、医療・介護といった公共サービス業に特化した地域においてはサービスの維持が困難になってしまう可能性がある。第3章で述べた通り、一定の需要規模がなくなってしまえば、サービス供給が行われなくなり、産業そのものが成り立たなくなってしまうからである。そうなると、地域衰退が止まらなくなる「臨界点」に達する地域が全国各地に現れることになる。

第3章でも触れたように、介護分野については、小規模の自治体でもサービス供給は存在しており、医療に比べて、財・サービスを供給する拠点の立地に必要な最少の需要量(人口)である成立閾は小さい。したがって、地域衰退を食い止めるためには、医療サービスを維持するということが非常に重要になってくる。

そこで、地域における医療サービスを維持するために必要な政策について考えてみたい。

地域における医療を維持するためには、医療の値段ともいえる診療報酬を加算するなどといった、経済的な手当てがまず考えられる。具体的には、衰退する地域にある病院や診療所の収入を増やすなどの対策である。

すでに僻地や「医療資源の少ない地域」に対して、そうした手当ては行われているが、今後多くの地域でますます人口減少が進んでいくことを踏まえれば、これらの地域以外にもさらなる手当てが必要となっていくであろうと考えられる。医療そのものがその地域におけるサービス業として大きな割合を占めているところでは、「産業政策」として医療を維持していくことが求められる。

また、医療へのアクセスは生存権の保障にかかわる問題である。地域における医療サービスを維持するということは、当然ながら住民の生存権を保障するということにもつながる。

国や自治体は、「地域における医療及び介護の総合的な確保を推進するための関係法律の整備等に関する法律」に基づいて、それぞれの地域における医療と介護を総合的に確保することを目指しており、そのために都道府県レベルでは、医療供給体制の将来のあるべき姿として、病院の病床（ベッド）のあり方を中心とした「地域医療構想」がまとめられている。また、医師が地域によって偏在している現状を解消していくために「地域医療支援センター」も設置されており、対策が全くなされていないわけではない。

しかし、地域医療は病院の病床だけが担っているわけではないため、より身近な診療所についても考えていく必要がある。すでに見たように、今後は、社会保障給付が減少していくことが予想される中で、医療資源の少ない地域にとどまらず、これから人口が減少していく多くの地域においても、診療報酬上の手当てによって、地域における医療サービスの持続可能性を高めていく必要がある。

こうしたことは、新型コロナウイルスの感染拡大による患者の受け入れや受診の抑制によって生じた病院と診療所の経営危機、ひいては医療崩壊を防ぐための対策としても有効であろう。

第2節　国による政策誘導をやめる

「地方創生」の問題点

地域衰退を食い止める方法として、次に筆者が提案したいのは、国による政策誘導をやめるということである。

現在進行形の「地方創生」も地域振興のための政策誘導の一つである。この政策は、次のような目標に基づいて進められている（内閣官房・内閣府総合サイト「地方創生」）。

人口急減・超高齢化という我が国が直面する大きな課題に対し、政府一体となって取り組み、各地域がそれぞれの特徴を活かした自律的で持続的な社会を創生することを目指します。

人口減少を克服し、将来にわたって成長力を確保し、「活力ある日本社会」を維持するため、

「稼ぐ地域をつくるとともに、安心して働けるようにする」
「地方とのつながりを築き、地方への新しいひとの流れをつくる」
「結婚・出産・子育ての希望をかなえる」
「ひとが集う、安心して暮らすことができる魅力的な地域をつくる」

という四つの基本目標と

「多様な人材の活躍を推進する」
「新しい時代の流れを力にする」

という二つの横断的な目標に向けた政策を進めています。

筆者は、この政策には主として次の点で問題があると考えている。

第一に、人口減少と地域経済縮小の克服を目指すという目標の達成の可能性とその結果の評価についてである。

地方創生の取り組みにおいては、二〇一九年度までに達成すべき具体的な目標を設定し、その実現のために「まち・ひと・しごと創生総合戦略」(以下、地方版総合戦略)を策定することになっていた。しかし、第1~3章で見てきたように、現時点でも地域衰退は食い止められていない。前章でも触れたように、人口減少が今後も続くことが予想される中で、自治体の人口を増加・維持あるいは、減少のスピードを緩やかにすることは容易なことではない。自治体の努力によってそれらがあたかも実現可能であるかのように、自治体に目標を設定させ、その結果を評価することは現実的とはいえず、むしろ罪深いことである。

特に地域衰退が著しく進んでいる自治体にとっては、人口が減少するスピードを緩やかにするという目標すらハードルが高い。すでに過疎対策の枠組みで幅広い事業に対して支援が行われてきているのである。それをもってしても、人口減少に歯止めがかかっていないことを踏まえれば、地方版総合戦略の施策の効果はよほど高いものでなければならない。しかし、衰退した自治体の人材や財源などは限られており、「自助努力」には限界がある。

たとえば、第3章で取り上げた群馬県南牧村では、具体的な施策として、「高齢者の豊富な知識と経験に基づく「高齢力」の活用」「地域の課題を自ら解決できる「地域力」の向上」「危機管理の強化」「産業の振興と雇用の創出」「域内循環システムの形成」などが挙げられているが、衰退を食い止めることができるほどの効果が期待できるかは疑問が残る。

第二に、地域特性を考慮しない表面的な施策に終わる可能性があるという点である。

国は、かつて一九八〇年代に「地域特性を活かした個性豊かな地域づくりを進める必要がある」として、リゾート開発や「ふるさと創生」を推進し、自治体はそれに基づいて各種事業を行った。その結果は後述するが、国の方針は、地域を活性化するどころかかえって停滞させ、深刻な財政難に陥らせた。

国は今回、「地方創生」を進めるにあたり、それ以前の地域活性化策について、地域特性を考慮しない「全国一律」の手法や、地域に浸透しない「表面的」な施策といった問題があったことを指摘していた。リゾート開発やふるさと創生はこうした指摘が当てはまるものと考えられるが、実は「地方創生」も同じような問題をはらんでいる。

というのは大半の自治体が、地方版総合戦略の策定にあたり、外部委託を行ったためである。

表5-2は、人口規模別に見た地方版総合戦略策定の外部委託の状況である。この表からわ

表 5-2 地方版総合戦略策定をコンサルタント等に委託したか
(単数回答)：市町村人口規模とのクロス

	合　計	委託をした	委託はしなかった	無回答・不明
全　体	1,342 (100.0%)	1,037 (77.3%)	304 (22.7%)	1 (0.1%)
5000 人未満	178 (100.0%)	131 (73.6%)	47 (26.4%)	0 (0.0%)
5000 人以上 1 万人未満	185 (100.0%)	143 (77.3%)	42 (22.7%)	0 (0.0%)
1 万人以上 1 万 5000 人未満	115 (100.0%)	88 (76.5%)	27 (23.5%)	0 (0.0%)
1 万 5000 人以上 2 万人未満	113 (100.0%)	82 (72.6%)	31 (27.4%)	0 (0.0%)
2 万人以上 5 万人未満	315 (100.0%)	250 (79.4%)	64 (20.3%)	1 (0.3%)
5 万人以上 10 万人未満	205 (100.0%)	165 (80.5%)	40 (19.5%)	0 (0.0%)
10 万人以上 15 万人未満	88 (100.0%)	78 (88.6%)	10 (11.4%)	0 (0.0%)
15 万人以上 (下記以外)	44 (100.0%)	32 (72.7%)	12 (27.3%)	0 (0.0%)
特例市	29 (100.0%)	21 (72.4%)	8 (27.6%)	0 (0.0%)
中核市	41 (100.0%)	31 (75.6%)	10 (24.4%)	0 (0.0%)
政令市	15 (100.0%)	5 (33.3%)	10 (66.7%)	0 (0.0%)
特別区	14 (100.0%)	11 (78.6%)	3 (21.4%)	0 (0.0%)

上段：実数(市町村数)，下段：構成比

(出所) 坂本(2018)82 ページより引用.
(注)「国勢調査人口」(2015 年)に基づいて分類.

かるように、政令市を除いては七～八割の自治体が外部委託を行っている。人口一〇万人以上一五万人未満では、その割合は九割に迫るほどであった。

また、表5-3に示すように、地方版総合戦略策定の委託先は、東京都に本社がある業者が圧倒的に多かった。第3章において、事業所サービス業が大都市に集中している実態について説明したが、こうした外部委託は東京都にある企業からの専門的サービスの「移出」ということになる。戦略策定の外部委託は、結果的に地方創生の目標とは裏腹に、東京一極集中となっているのである。

表5-3 外部委託受注件数のトップ10
（本社が所在する都道府県別に集計）

（本社所在地ベース）(n＝626)

本社所在都道府県	受注件数（発注市町村数）	受注件数シェア（％）
東京都	338	54.0
京都府	48	7.7
北海道	28	4.5
大阪府	20	3.2
愛知県	18	2.9
福岡県	16	2.6
沖縄県	10	1.6
広島県	10	1.6
鹿児島県	10	1.6
長野県	10	1.6
…	…	…
総計（母数）	626	100.0

（出所）坂本(2018)87ページより作成.

もちろん東京都に所在する外部業者の中には、戦略策定を発注した自治体について熟知したところもあったかもしれない。しかし、短期間で約一七〇〇の自治体が地方版総合戦略を策定したことを考えれば、そうした業者を確保するのは容易でなかったと思われる。

したがって、多くのケースでは外部業者

が策定した、その地域の特性を特段考慮しない表面的な戦略に基づいて、地方創生が進められている恐れがある。地方創生も過去の政策と同様の地域の特性を考慮しない、「表面的」な施策といった問題をはらんでいるといえる。

なお、自治体が外部委託を行った要因の一つとして、「国からの交付金があった」という回答がかなりあり(坂本 二〇一八)、地方創生関連交付金の存在が外部委託の意思決定に影響を及ぼしていたことがうかがわれる。補助金による誘導があったという意味では、国が問題視していたはずの「全国一律」の手法が用いられていたといえる。

多くの自治体において、地方創生という地域活性化策の根幹にある戦略が外部業者によって策定されたということはすなわち、その活性化策にはスタート時点から問題があったといわざるを得ない。

政策誘導がもたらしたもの——リゾート開発の例

先に、地域特性を考慮しない「全国一律」の手法や、地域に浸透しない「表面的」な施策として、リゾート開発を挙げた。では、そのリゾート開発は、果たしてどのような結果に終わったのか。以下、大島(二〇一二)・(二〇一六)に基づいて、いくつかの例を見てみよう。

一九八七年五月に「総合保養地域整備法（リゾート法）」が成立し、六月に施行された。この法律の目的の一つとして、リゾート整備による地域の活性化、魅力ある地域社会づくりがあった。産業構造がソフト化、サービス化する中で、これまでの製造業中心の地域振興策に加えて、第三次産業を核に地域振興を図ろうとするものであった。その手段として、税財政上の支援措置、低利または無利子の貸し付け、関連公共事業の重点整備、農地法や森林法などの土地利用規制面での配慮を行う、とされた。

そして、全国の多くの自治体が対象地域に名乗りをあげた。一九九〇年末までに三重、宮崎、福島をはじめ二七の道府県の基本構想が承認された。

宮崎のシーガイアは、宮崎市山崎町に「宮崎・日南海岸リゾート構想」の中核施設として建設された。官民一体の巨大プロジェクトで、巨大な室内プールと豪華なリゾートホテル、ゴルフ場を含み、宮崎県や宮崎市が出資する第三セクターのフェニックスリゾートが経営していた。建設地では防風林として植樹されていた海岸部の松林を伐採し、一九九三年七月には世界最大級の室内プール「オーシャンドーム」やゴルフコースなど五施設の営業を開始し、続いてホテルや国際コンベンションセンター、アミューズメント施設なども建設し、九四年一〇月に全面開業した。二〇〇〇年七月にはサミット外相会合も開かれた。総事業費は二〇〇〇億円かかったが、利用客は増えず、毎年二〇〇億円前後の赤字が発生した。債務は膨らみ、〇一年二月に第三セクターとしては過去最大の負債総額三二六一億円で会社更生法の適用を申請した。

こうしたリゾート構想に基づく施設以外にも、この頃は、当時のリゾートブームに乗って開業したテーマパークがいくつもあった。

一九九〇年の夏には北海道芦別市に「カナディアン・ワールド」がオープンした。広大な敷地に『赤毛のアン』をテーマに一九世紀のカナダの街並みが再現され、小さいながら鉄道も敷設されて、町の中には人工の川も造られた。かつて炭鉱で栄えた町が地域活性化の目玉として投資したのである。経営主体は、市、東急グループ、地元企業の出資による第三セクターであった。しかし、その立地場所は芦別の町から車で二〇分もかかる山の中にあった。年間入場者の目標は四〇万人であったが、ここまで来る観光客はあまりおらず、最も多かった九一年度でも約二七万人であった。特に冬季は入場者数が少なく、九四年以降、冬季は休園した。芦別市は巨額の債務を抱えたまま、九七年一〇月に閉園した。

しかし、施設は立派だったため、一九九九年七月に「芦別市営カナディアン・ワールド公園」として無料開放された。無料化後も年間約一億円の維持費がかかり、経営母体である第三セクター「星の降る里芦別」の累積損失はその後も膨らみ続け、二〇〇七年八月に札幌地方裁判所から自己破産の手続き開始決定を受けた時点で、その負債総額は約七五億円に達した。芦別市は、債権者との間で損失補償契約を結んでいたため、負債のうち約三二億円を一九年かけて分割返済することとなった。

岡山の倉敷チボリ公園は、一九八六年一〇月に岡山市制百周年記念事業企画委員会で岡山貨物駅の広大な跡地にチボリ公園（デンマークのコペンハーゲンにある有名な遊園地）を誘致する提案がなされるところからスタートした。その後、八八年になると岡山県も関与するようになったが、九一年に岡山市が市長の交代を理由に計画から撤退すると、県知事は計画を変更して倉敷市に誘致することを決定し、九五年九月に着工した。建設業者と契約を行ったのは、岡山県と第三セクターのチボリ・ジャパンであった。総事業費四五七億円のうち、負担の割合は県が六割、倉敷市が二割、民間資金は二割であった。

一九九七年七月に開園した当時は評判となり、初年度は約三〇〇万人の来場者を集めたが、その後、来場者数は落ち込み、二〇〇七年度には約七五万人にまで減少した。そして、〇八年八月にチボリ・ジャパンの取締役会で公園事業の廃止と同社の解散が決議され、一二月末で閉園した。当初の計画では、開業後一〇年で単年度黒字となるはずであったが、累積損失は〇七年度末で約一四三億円にのぼった。

ここまで見てきたように、製造業に代わる第三次産業による地域活性化を夢見てリゾート開発を行った結果、多くの自治体には膨大な借金が残った。過大な投資と甘い来場者数予測が致命的であった。

近年では、訪日外国人観光客(いわゆる「インバウンド需要」)を当て込んで様々な観光施設を整備してきたところもあるが、新型コロナウイルスの感染拡大によって海外からの観光客が激減したことからも明らかなように、こうした地域活性化は常に危うさをはらんでいる。

以上の事例からも明らかなように、国が行う地域活性化のための政策誘導は、地域特性を考慮しない「全国一律」の手法や、地域に浸透しない「表面的」な施策が用いられており、逆に地域を衰退させる可能性を秘めている。にもかかわらず、国が責任をとることはなく、自治体およびその住民が長きにわたって負担を負うことになる。国は「誘導」は行ったものの、事業実施の「決定」を行ったのは自治体であるからという論理である。リゾート開発だけではなく、国と地方の関係では、そうしたことが繰り返されてきた。このような政策誘導の失敗による地域衰退はもう終わらせねばならない。

第3節　地域に産業を興す

容易ではない基盤産業の復活

本書で繰り返し述べてきたように、地域衰退は基盤産業の衰退によって生じてきた。したがって、これを食い止めるためには、地域に産業を興すことが必要である。

しかし、ここまで読み進めていただいた読者ならお気づきのように、それは容易なことではない。というのは、地域における基盤産業の衰退は、その地域内部の問題によって生じたというよりも、外的要因によって生じてきたからである。

本書で取り上げたいくつかの事例をもう一度振り返ってみよう。富士通の企業城下町であった須坂市の衰退は、富士通のリストラによって引き起こされた。村営スキー場を経営していた王滝村は、スキー客の減少によって危機に陥った。こんにゃく、砥石、養蚕、林業で栄えた南牧村の衰退は、木材価格の低下、輸入生糸の台頭、こんにゃく芋の品種改良による平坦地との競争によって生じた。旧産炭地は、主要エネルギー源が石炭から石油へと転換した「エネルギー革命」の中で衰退した。

これらの事例からもわかるように、基盤産業の衰退は外的要因に影響される部分が大きい。このため、衰退地域でかつて栄えた産業を「取り戻す」というのは非常に困難なのである。

「まちづくりの成功事例」は参考になるか?

こうした厳しい状況の中で、地域内部の資源を活用し、観光開発や歴史的景観を保存することなどでまちづくりが曲がりなりにも成功すると、そのことによって人口が増加し、地域衰退が食い止められると思われることがある。しかし、こうした「成功」が必ずしも地域衰退を食い止めるとは限らない。

市川(二〇一七)は、愛媛県の旧双海町《ふたみ》(現在は伊予市の一部)と内子町を取り上げ、たとえ「地域活性化の成功事例」として全国的に知られる施策が行われていたとしても、両町で人口減少は止まらなかったことを明らかにしている。

旧双海町では、「沈む夕日が立ち止まる町」を謳い文句に地域おこしを進め、海岸に「ふたみシーサイド公園」を造成し、その中に「夕日のミュージアム」も造られている。かつて海に最も近い駅とされた下灘駅では「夕焼けプラットホームコンサート」が開催されている。こうした施策を主導した町役場職員は、観光庁の「観光カリスマ」にも選ばれている。

また、内子町では、一九七〇年代から歴史的な街並みを保存する取り組みが行われ、八二年に重要伝統的建造物群保存地区として指定されるに至った。八三〜八五年に、内子座(一九一六年建設の文楽劇場)の修復工事が行われ、新たな観光資源にもなっている。まちづくりはこれにとどまらず、農産物直売所「フレッシュパークからり」による地域振興も行われた。「からり」は単なる直売所ではなく、農産物を加工する工房やその販売所、飲食施設などを併設している。

こうした取り組みにもかかわらず、旧双海町と内子町では人口減少が止まらなかった。両町とも一九六〇年からの半世紀で人口が半減した。市川は、両町について、到底「持続可能な発展の実例」とはいえない状況と評価している。

他方で市川は、同じ愛媛県内にある、より地理的条件が悪く、鉄道も高速道路も通っていない旧御荘《みしょう》町と旧一本松町を取り上げて、両町では人口が下げ止まった要因を分析している。旧御荘町では、一九七〇年代に御荘湾におけるハマチ等の水産養殖業が勃興し、水産業生産額が急速に伸びた。また、旧一本松町は、松下寿電子工業の大規模工場を誘致することに成功し、この工場だけで六〇〇人を超える雇用が生み出されたのであった(現在は閉鎖)。

こうしたことから、たとえ辺鄙なところであっても雇用があれば人は定住し、逆に、歴史的景観保存、観光開発、集客イベント、直販所等は、いかに成功しているように見えても小手先のことで、地域の屋台骨を支えるような雇用を生み出しはしないと市川は結論づけている。

読者の中には、観光事業が地域衰退を食い止められていないのは、両町が小規模自治体であるからと思われる方もいるかもしれない。ある程度の規模の都市であれば、うまくいくのではないか。たとえば、有名な観光地がある北海道の小樽市(二〇二〇年二月末時点の人口は約一一・四万人)はどうであろうか。

小樽市では、過去の小樽の繁栄を物語る運河周辺の重厚な石造り倉庫群、明治中期から昭和初期に流行した建築様式を取り入れた多くの都市銀行や商社の社屋が、取り壊されずに観光資源として再開発された。二〇一七年度には八〇〇万人の観光客が訪れ、国内でも有数の観光都市となった。しかし、他方で、第二次世界大戦後のニシン漁の衰退、石炭産業の衰退、樺太領土の喪失、商業機能の流出、物流機能の転換などによって長らく経済は停滞し、北海道経済の中心が札幌市へと移行する中、昭和二〇年代から社会減(他地域への転出)が生じて、一九八七年からは自然減(死亡者数が出生者数を上回っている状態)が生じるようになり、人口減少が続いている。また、若年層の転出超過と全国平均よりも低い合計特殊出生率によって、少子化が進んでいる(小樽市人口減少問題研究会二〇一九)。

観光は、小樽市の重要な基盤産業である。しかし、だからといって観光だけで人口減少が止まり、地域衰退が食い止められると考えてはならない。年間八〇〇万人もの観光客が訪れる小樽市ですら、他の自治体と同じように、地域衰退に苦しんでいるのである。そうしたことを知らずに、「まちづくりの成功事例」を表面的にまねることによって、その地域の問題を解決することはできないだろう。

さらにいえば、繰り返しになるが、新型コロナウイルスの感染拡大によって観光客が激減したことからも明らかなように、観光による地域活性化が、これまでのような形で地域経済に貢献することになるかどうかは不透明である。グローバリゼーションが進展した今、今後も様々な未知の感染症が流行する可能性があることを考えれば、逆に地域経済の不安定化要因となるであろう。人の往来を前提とした地域活性化策は、非常にリスクの高い手法になってしまったのである。

地域における小水力発電の可能性

地域資源を活かし、基盤産業を興すということは容易なことではない。また、他地域の成功事例をまねたところで、その地域でうまくいくとは限らない。特に本章では、地域特性を考慮しない政策誘導や、安易な「成功事例」の導入について批判的に論じてきた。

そうした中でも、筆者は、農山村では小水力発電が地域経済にプラスの影響を与えることができるのではないかと考えている。

再生可能エネルギーの一つである小水力発電(一〇〇〇キロワット以下)は、一般河川、砂防ダム・治山ダム、農業用水路、上水道施設、下水処理施設、ダム維持放流、既設発電所の放流水といった場所で行うことができ、基本的に落差と流量のあるところであれば可能である。また、太陽光や風力発電と比べ、次のような特徴がある。①昼夜、年間を通じて安定した発電が可能である。②設備利用率が五〇~九〇%と高く、太陽光発電と比較して五~八倍の電力量が発電できる。③出力変動が少なく、系統安定、電力品質に影響を与えない。④経済性が高い。⑤未開発の包蔵量がまだ沢山ある。⑥太陽光発電と比較して、設置面積が小さい(全国小水力利用推進協議会ウェブサイト)。

さらに、図5-1に示す通り、再生可能エネルギーの中でも水力発電の生産誘発額(生産活動を賄うために直接・間接に発生した生産額)・雇用誘発数(生産誘発にともない発生した雇用の数)はバイオマス発電(動植物等の生物から作り出されるエネルギー資源を燃焼したり、一度ガス化して燃焼したりして発電する仕組み)に次いで高いとされる。なお、バイオマス発電は林業の「人手不足も

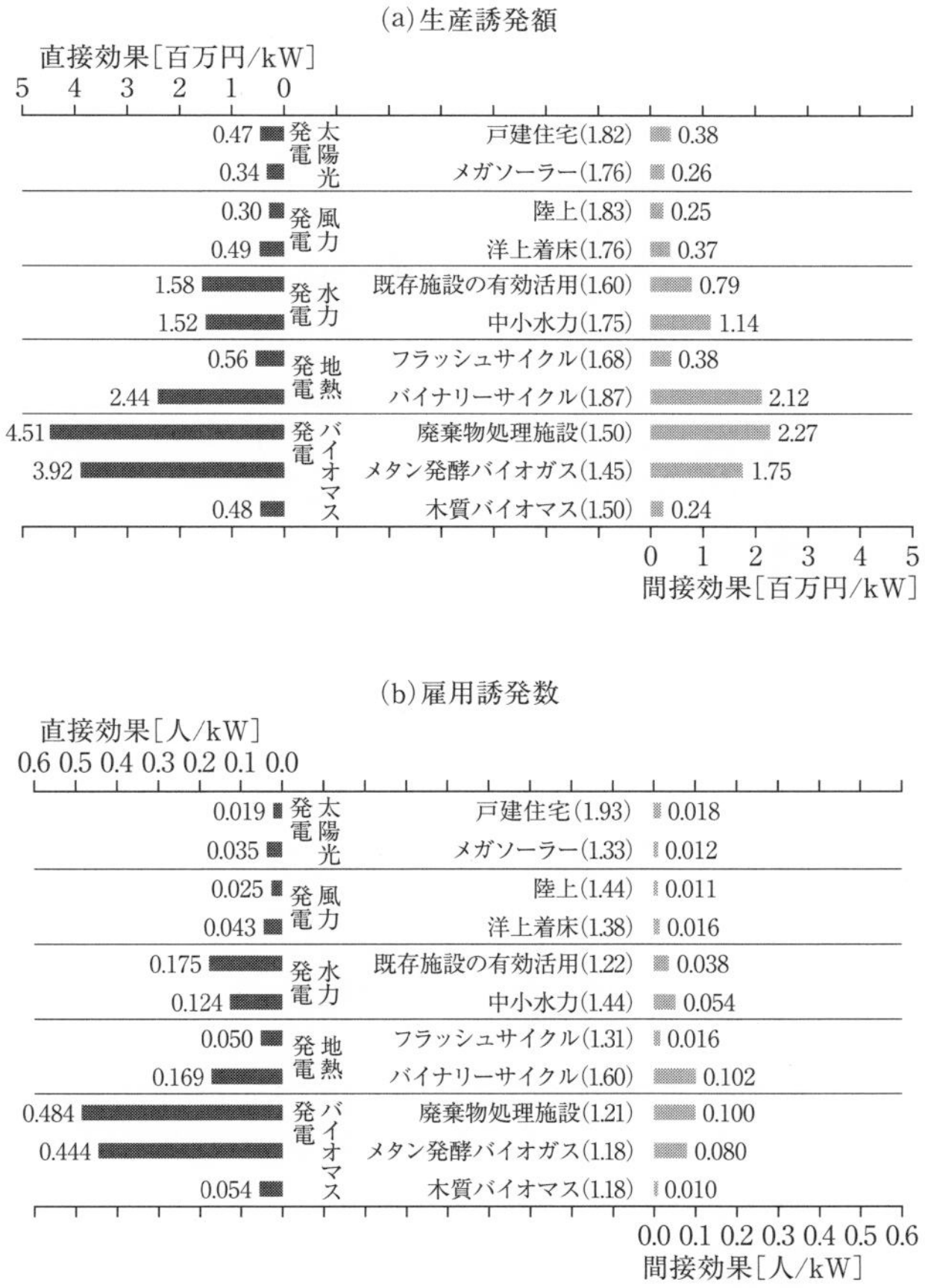

(出所) 文部科学省科学技術・学術政策研究所科学技術動向研究センター(2013) 18 ページより引用.

図 5-1 再生可能エネルギーの発電施設建設による発電容量 1 キロワットあたりの生産誘発額と雇用誘発係数

あって国内の森林資産を生かし切れず、燃料の輸入頼みに拍車がかかっている」(「日本経済新聞」電子版二〇一八年一二月一一日)ため、まずは資源の国内調達が可能な小水力発電を取り上げることにする。

小水力発電による地域づくりは実際にすでに行われている。中島(二〇一八)に詳しい記述があるので、それに依拠して説明していこう。

岐阜県郡上市白鳥町石徹白《いとしろ》地区では、「ふるさと食品加工施設」に電力を供給するところから水力利用が始まった。ここでは農産加工品が作られていたが、あまり利益が上がっておらず、電気代を払うと赤字になってしまったため、電気を止めて閉鎖していた。そうした中で二〇一一年六月に水車による小水力発電が始まり、そこから生まれた電力で食品加工施設は再び生産を始めた。なお、水車の建設費は、科学技術振興機構の研究費によって賄われた。

次に行われたのが農業用水による小水力発電であった。同地区では、農業用水管理と発電に一体性があることや、岐阜県の補助金との関係で、住民が発電目的の農協を設立し、これを事業主体とした。二〇一四年三月に地区住民全員出資の農協が設立され、一六年六月に「石徹白番場清流発電所」(一二五キロワット)が運転を開始した。この発電所は総工費二億三〇〇〇万円で、全電力を固定価格買取制度(再生可能エネルギーで発電した電気を、電力会社が一定価格で一定期間買い取ることを国が約束する制度）により売電している。

発電事業を目的とした農協というのは、実は戦後の一時期にも、中国地方を中心にさかんに設立された。「農山漁村電気導入促進法」（一九五二年）の成立により、電力会社でなくても農林漁業団体が電気事業を営むことができることになったことから始まった動きである。

時代は下り、農村で稲作農家が減り、農業用水路の維持に支障をきたすような状況になってきた。深刻なのは、農家が減ることで、残される農家の水路維持負担が重くなるということである。放っておけば、農業用水路を維持する費用を各農家が負担しきれなくなるおそれがある。幹線水路を維持できなければ、そこに連なる全ての水田が維持できなくなってしまう。そうした中で、農業団体が水路網を有効活用して発電事業を行い、現金収入を得て維持管理のための費用を捻出するのである。

さらに中島は、次の三つの点から小水力発電と地元の土建業者の「相性の良さ」を指摘している。①小水力発電所の建設は、半分から七割方が土木工事である。②水力発電では一刻も早い災害復旧が非常に重要である。③小水力発電計画実現のカギとなるのは、経営感覚のあるリーダーの有無である。山村社会を維持するには災害時に道路復旧を行う地元の土建業者が必要であり、その土建業者に安定収入をもたらす仕組みとしても、山村の資源を活かした小水力発電は役に立つ。

なお、固定価格買取制度により二〇年にわたって発電した電力が売電されるため、一定規模以上の小水力発電所であれば、投資や運転維持に必要な費用以上の売上がもたらされ、地域に付加価値が生み出される。たとえば、岡山県西粟倉村では、村内三つの小水力発電事業から投資や運転維持に必要な費用の一・六倍以上の売上が見込まれ、村内にもたらされる地域付加価値は、設置から稼働二〇年目までの累積で約一五億円と推計されている(中山 二〇二〇)。

ここまで見てきたように、小水力発電は、今後、農業や建設業のような産業を維持するための重要な手段の一つになるのではないかと考えられる。特に新型コロナウイルスの感染が拡大する中で、海外諸国の中には、国内供給を優先して食料輸出を制限する食料輸出国も現れており、食料を自給することの重要性は、ますます高まっている。食料の供給が不織布マスクのように途絶えてしまえば、人々は生きてはいけなくなる。小水力発電によって農業を維持していくことは、人々の命を守ることにも直結するのである。

地方から都市に電気を売る

ここまで小水力発電の可能性について見てきたが、発電事業は、農業や建設業のような産業を維持するための手段となるだけでなく、地域の基盤産業となり得る可能性を秘めている。

たとえば、岩手県北地域の九市町村(久慈市、二戸市、葛巻町、普代村、軽米町、野田村、九戸村、洋野町、一戸町)は、二〇一九年二月に横浜市と「再生可能エネルギーに関する連携協定」を締結し、二〇年二月には「北岩手循環共生圏」の結成を宣言して、地域内外の様々なステークホルダーとの連携・循環を生み出す取り組みを始めている。

特に再生可能エネルギーについては、「ZERO CARBON KITAIWATE」(二〇二〇年二月宣言)の達成に向けて地域内の再生可能エネルギー使用比率を高めるとともに、「Zero Carbon Yokohama」に寄与すべく、都市部への再生可能エネルギー供給の本格化も目指していく予定である。二〇二〇年三月現在、横浜市内の一部の事業者に対し、一戸町の木質バイオマス発電由来の電力の供給が始まっている(環境省ローカルSDGsウェブサイト)。

なお、久慈市をはじめとする北三陸は、NHKの連続テレビ小説「あまちゃん」のメインロケ地であり、架空の「北三陸市」として登場した。三陸鉄道久慈駅は、同ドラマの「北三陸駅」として登場しており、ご記憶の方もあるのではないだろうか。

本書で繰り返し述べてきたように、基盤産業の衰退は地域の衰退につながってきた。したがって、このような地方から都市に電力を移出する新たな基盤産業の創出は、地域の衰退を食い止めることにつながるかもしれない。

こうした再生可能エネルギーによる「地域分散ネットワーク型」のシステムへの転換は、金子(二〇一一)や飯田・金子(二〇二〇)でも議論されているが、これは二一世紀の新たな産業革命であるといえる。

もちろんこれだけですべての問題を解決することができるわけではない。地域経済は様々な産業があって成り立つものであり、これはあくまでも一つの可能性に過ぎない。地域経済の安定のためには、特化された経済よりも、多様性が存在するほどよい(ジェイン・ジェイコブズ 二〇一二)。したがって、発電事業以外にも知恵を絞っていく必要がある。前章で取り上げた自伐型林業もその一つになり得るであろう。

事業所サービスの「地産地消」

筆者のここまでの提案は、比較的規模の小さい、農山村が対象であった。しかし、すでに見てきたように、中小都市でも地域衰退が進んでいる。こうした地域では、衰退を食い止めるためにどのような方法が考えられるだろうか。

第3章で述べたように、人口規模の大きな都市に事業所・企業を顧客とする事業所サービス業は集中している。事業所サービス業は、「移出型サービス」になりやすく、中小都市にある企業は、大都市や都道府県庁所在地とそれに匹敵する上位都市群に存在する企業から事業所サービスを購入する。その結果、それらの都市に存在する事業所サービス業はますます成長する。

こうしたことを踏まえれば、中小都市の衰退を食い止めるための一つの方法として、中小都市に存在する企業に対する事業所サービスを提供する企業を育成することが挙げられる。他地域からこうしたサービスを移入せず、自地域でサービスを提供するのである。そうすれば、地域にそれだけ雇用が生まれる。

現在、事業所サービス業が大都市に集中しているのは、中小都市にはサービスを供給する拠点の立地に必要な最少の需要量である成立閾よりも小さな事業所サービス需要しか存在しない、つまりサービスを必要とする企業の数が少ないことや、高い質の専門的なサービスを供給するだけの企業・人材が地域に存在しないからではないかと思われるかもしれない。

しかし、筆者は次の点から、事業所サービスの「地産地消」には可能性があるのではないかと考えている。

まず事業所サービス需要という点では、中小都市に存在する企業、中でも中小企業の潜在的な需要が存在する。中小企業庁の資料によれば、小規模事業者のＩＴ投資の余地は五・二兆円になるという推計もある。中小企業の年間売上高は合計五一九兆円あり、大企業並みのIT投資（売上高の一％）を行うと、この額になるというのである（中小企業庁ウェブサイト「スマートSME（中小企業）研究会（第5回）配布資料」）。

中小企業がITに投資し、業務をシステム化することは、まさに経済学者・シュムペーターが『経済発展の理論』で論じた「新結合」（イノベーション）である。シュムペーターは「新結合」の内容として、次の五つを挙げている。

（1）新しい財貨、すなわち消費者の間でまだ知られていない財貨、あるいは新しい品質の財貨の生産。
（2）新しい生産方法、すなわち当該産業部門において実際上未知な生産方法の導入。
（3）新しい販路の開拓、すなわち当該国の当該産業部門が従来参加していなかった市場の開拓。
（4）原料あるいは半製品の新しい供給源の獲得。
（5）新しい組織の実現、すなわち独占的地位の形成あるいは独占の打破。

ここで論じているのは、二つ目の「新しい生産方法」に該当する。中小企業がＩＴ化するという「新結合」を、事業所サービスを提供する企業のサポートによって実現するのである。

次に、高い質の専門的なサービスを供給するだけの企業・人材が地域に存在しないのではないかという点については、中小都市の企業にも可能性がある。

たとえば、人口約四万七〇〇〇人の福岡県田川市(二〇二〇年八月一日現在)でクリーニング店を八店舗展開する「エルアンドエー」では、家業を継いだ副社長が独自に数回のボタン操作で完結するような誰でも使える業務アプリや、クリーニング店用の画像認識システムを開発し、社内のＩＴ化を進めている(ITmedia エンタープライズ「クリーニング屋の副社長は元ＤＪ!?　独学で作ったＡＩで「無人店舗」を目指す」)。この企業の取り組みは各種メディアでも取り上げられている。

田川市は、筑豊炭田の炭鉱町の一つであり、炭鉱が基盤産業の地域であった。第3章でも触れたように、旧産炭地は炭鉱の閉山後、衰退が著しい。しかし、そうした地域にも人材はいる。ただ、中小都市に存在するすべての中小企業で自社のＩＴ化を自社の人材のみで行うのは困難であろうから、投資する余力のない中小企業でも外注することができる金額でこうしたサービスが利用できるようになればよい。そのためには、自治体の支援も必要になるであろう。

かつて、他国から輸入している工業製品を国産化することによって近代的工業化や経済発展を進めようとする「輸入代替工業化政策」というものがあったが、事業所サービスを他地域から移入せず、自地域で賄うというのは「移入代替」と呼ぶことができるだろう。こうした取り組みを自治体が積極的に支援し、新たな産業を興していくのも一つの方法である。

先に、地域経済の安定のためには多様性が存在するほどよいとするジェイコブズの議論を紹介したが、彼女は「自らの経済も他の経済も強化、多様化、分化するための鍵は、それぞれの都市が、お互いの輸入品を自前の生産によって置換するようになったことである」とも述べている。したがって、「移入代替」は地域経済の安定、多様化に寄与するものと考えられる。

また、中小都市でも事業所サービスを提供する企業が近くに存在すれば、新型コロナウイルスの感染が拡大していく中では、たとえば、東京にあるソフトウェア会社とのオンラインでの打ち合わせではなく、地域内に存在する企業と距離を確保した対面の打ち合わせが安心して行うことができるのではないか。東京のような感染拡大地域からの人の移動を減らすことができる。したがって、感染症対策という意味でも必要である。

重要なのは、このような、地域に産業を興すという取り組みを国の政策誘導や外部委託で策定した戦略に基づいて行わないということである。地域の住民が主体的に取り組むことが、新たな産業を生み出すためには不可欠である。

第4節　分権・分散型国家をつくる

「疎開」ではなく、「定着」を

最後に、地域衰退を食い止める手段として、もはや古びた政策提案のように思われるかもしれないが、改めて、東京一極集中の是正を挙げておきたい。この提案は、後述するように、新型コロナウイルスの感染拡大と、その対策で浮かび上がった結果を踏まえれば、決して古びたものではない。

かつて「国土の均衡ある発展」が目指され、全総をはじめとして多くの政策が展開されてきたが、その間も東京一極集中は是正されなかった。近年では、小泉政権以降進められるようになった都市再生事業によって都心回帰が進み、東京一極集中はむしろ加速した。都市再生事業というのは小泉純一郎政権の下で進められた事業で、大都市向けの公共事業（羽田空港の再拡張工事、首都高中央環状線・東京外かく環状道路・首都圏中央連絡自動車道という首都圏三環状道路の整備など）、民間事業者の都市再開発支援などが行われた。特に後者によって、晴海、豊洲、大崎、八重洲、丸の内などで高層の商業ビルや高級分譲マンションが建設される結果となった。「東京は日本経済の成長エンジン」という言説がまかり通った。

しかし、新型コロナウイルスの感染拡大によって、東京一極集中はリスクが高いことが明らかになった。これは多くの人々が新型コロナウイルスに感染する可能性が高いというだけでなく、「自粛」によって人の移動や接触が制限されると、東京に集中する卸・小売業とサービス業の雇用が容易に失われてしまうという意味でも、リスクが高いのである。

第3章で述べた通り、事業所サービス業の偏在は東京一極集中の要因となっており、基盤産業を失った地域からの人口流出の要因ともなってきた。基盤産業があれば、地域に残っていたかもしれない人材を東京のサービス業は吸引してきた。

しかし今後、このような未知の感染症の流行が繰り返される限り、東京の雇用吸収力は以前ほど大きくはならないと考えられる。したがって、日本全体として、東京の経済を拡大することによって雇用を拡大するというやり方は、今や持続不可能になったといえる。

こうした変化を踏まえれば、国から地方への地方分権と、人々の居住の地方分散を推し進め、東京一極集中を是正することは、各自治体の実情を踏まえた形で未知の感染症の拡大を防ぎ、地域衰退を食い止めるだけでなく、日本経済の持続的成長のためにも必要不可欠であることがわかる。すでに述べたように、これを実現することは容易なことではない。しかし、地域、さらには日本の衰退を食い止めるためにも、東京などの大都市以外の地域に雇用を生み出す多様な産業を一刻も早く興す必要がある。

こうしたことを後押しするような動きが実際に起こりつつある。

大企業を中心に実施されているリモートワークによって、人々は都心に住んで職場に通うことに疑問を抱き始めている。また、企業側にも都心のオフィスを維持するための費用を削減するため、オフィスを移転・解約するような動きも見られる。さらに、新型コロナウイルスに感染しないため、地方に「コロナ疎開」をする人々も現れている。

東京に企業の本社が集中していることは周知の通りであるが、「平成二三年東京都産業連関表」によれば、本社の都内生産額は約二七・五兆円で、都内生産額一六三・三兆円の一六・八％を占めている。これはサービス業の四一・三兆円に次ぐ「産業」規模である。オフィスの移転・解約や「コロナ疎開」といった動きは、東京の本社「産業」を地方に移転させる可能性を秘めている。

第３章で、事業所サービスは企業の本社や支社の集中する大都市を中心に特定規模以上の都市に集中する傾向があることを述べたが、本社が地方に移転することは、事業所サービスも地方に移転することにつながると考えられる。そして、そのことは東京から人口が流出する要因となるであろう。

ところで、団塊世代の筆者の父は、筆者が子どもの頃、昔を懐かしむように、守屋浩という歌手が歌う「僕は泣いちっち」(作詞・作曲：浜口庫之助、一九五九年リリース)という曲をよく聴いていたのだが、その曲の一番はこんな歌詞である。

僕の恋人　東京へ　行っちっち
僕の気持を　知りながら
なんでなんでなんで
どうしてどうしてどうして
東京がそんなに　いいんだろう
僕は泣いちっち　横向いて泣いちっち
淋しい夜はいやだよ
僕も行こう　あの娘の住んでる東京へ

藤田他（二〇一八）もこの曲の歌詞を取り上げ、東京の魅力の源泉が東京の経済社会システム全体における多様性の圧倒的豊かさにあると論じているのだが、新型コロナウイルスの感染拡大によって、人々の意識や行動は変わりつつあるのではないかと思われる。もしかしたら、今なら、この曲に登場する「あの娘」は東京に行かなかったかもしれない。

人や企業が、東京から他地域へ一時的に疎開するのではなく、他地域に定着することは、未知の感染症の拡大を防止するためだけではなく、「自粛」によって失われつつある自己決定権を守ることにもつながるはずである。感染拡大を阻止する名目で、本物の警察やいわゆる「自粛警察」がやってきて人々の行動を制限する、息が詰まるような社会は健全な社会ではない。

地方に新たな産業を興し、仕事を作り出すことは、中小都市や農山村の人々のためだけに必要なのではない。東京などの大都市に存在する人や企業にも選択肢を与えることになるのである。終わりの見えない「コロナ禍」によって、大都市にこだわる理由がなくなりつつあるのではないか。

人々の意識が変わりつつある中で、新型コロナウイルスの感染拡大を防止しつつ、この危機的状況を乗り越えるための政策が必要なのである。

未知のウイルスが猛威を振るう中でも、人々が誇りをもって働き、豊かな暮らしを送るために必要なことを我々は知恵を絞って考えていかなければならない。地域衰退を食い止めることは、疫病の中にある日本を救う道となるのである。

参考文献一覧

第1章

金子勝(二〇一六)『負けない人たち　金子勝の列島経済探訪レポート』自由国民社

宗健(二〇一七)「住宅・土地統計調査空き家率の検証」『日本建築学会計画系論文集』第82巻第737号

増田寛也編著(二〇一四)『地方消滅』中公新書

松原宏(二〇〇六)『経済地理学』東京大学出版会

Douglass C. North (1955). Location theory and regional economic growth. *Journal of Political Economy*, Vol. 63 (3).

第2章

岡崎靖典(一九九九)「地方単独事業における地方交付税の利用――事業費補正を中心として(上)」『自治研究』第75巻第10号

岡崎靖典(二〇〇〇)「地方単独事業における地方交付税の利用――事業費補正を中心として(中)」『自治研究』第76巻第3号

梶田真(二〇一二)「公共事業と「土建国家」」神谷浩夫・梶田真・佐藤正志・栗島英明・美谷薫編著『地方行財政の地域的文脈』古今書院

信濃毎日新聞社編集局編（二〇〇七）『民が立つ』信濃毎日新聞社
嶋津昭編（一九九八）『図説 地方財政（平成10年度版）』東洋経済新報社
下河内司・上関克也・末宗徹郎（一九九五）『地方財政の効率化』ぎょうせい
信州地理科学研究会編著（一九七三）『変貌する信州』信濃教育会出版部
信州地理研究会編著（一九九三）『変貌する信州Ⅱ』信濃教育会出版部
須坂市史編纂委員会編（一九八一）『須坂市史』
中村良平（二〇一四）『まちづくり構造改革――地域経済構造をデザインする』日本加除出版
長野県地方自治研究センター（二〇一二）『長野県における「平成の合併」――合併・非合併の記録と検証
――報告書』
葉上太郎（二〇〇九）「〝奇策〟が救うのは財政だけか――「破綻必至」からの脱出・長野県王滝村の場合」
『ガバナンス』二〇〇九年二月号
橋本悟志（二〇〇八）「王滝村の財政健全化への取組」『月刊自治フォーラム』二〇〇八年六月号
富士通信機製造株式会社社史編集室編著（一九六四）『富士通社史』

第3章

安東誠一（一九八六）『地方の経済学』日本経済新聞社
井原哲夫（一九七三）『巨大都市と人口構造』毎日新聞社
井原哲夫（一九九九）『サービス・エコノミー（第2版）』東洋経済新報社

小熊英二(二〇一九)『地域をまわって考えたこと』東京書籍
梶田真(二〇一二)「公共事業と「土建国家」」神谷浩夫・梶田真・佐藤正志・栗島英明・美谷薫編著『地方行財政の地域的文脈』古今書院
加藤和暢(二〇一〇)「ポスト20世紀システムの〝地理的現実〟――「産業と都市の融合」をめぐって」『産業立地』第49巻第1号
加藤幸治(二〇一一)『サービス経済化時代の地域構造』日本経済評論社
中澤秀雄・嶋﨑尚子編著(二〇一八)『炭鉱と「日本の奇跡」』青弓社
長尾悠里(二〇一八)「埼玉県秩父市大滝地区における学校統合と校区への諦観との関係――小学校の消失過程に関する一考察」『人文地理』第70巻第2号
西野寿章(二〇一五)「日本一の高齢化山村の形成要因に関する一考察――群馬県南牧村と神流町を事例として」『産業研究(高崎経済大学産業研究所紀要)』第50巻第2号
西野寿章(二〇一六)「群馬県の山村における養蚕衰退後の地域の対応と限界化問題」『産業研究(高崎経済大学地域科学研究所紀要)』第51巻第1・2号
林上(二〇一五)『都市サービス空間の地理学』原書房
辺思遠・松島格也・小林潔司・越知昌賜(二〇一八)「地方自治体の財政力の極化分布と空間的格差に関する研究」『土木学会論文集D3(土木計画学)』第74巻第5号
増田寛也編著(二〇一四)『地方消滅』中公新書
松原宏(二〇〇六)『経済地理学』東京大学出版会

矢田俊文（二〇一四）『矢田俊文著作集 第一巻　石炭産業論』原書房

第4章

青木宗明（二〇〇六）「「平成大合併」から学ぶべきこと――求められる「地方の意向」の反映」町田俊彦編著『「平成大合併」の財政学』公人社
秋山満（二〇一四）「水田農業における規模問題」日本農業経営学会編『農業経営の規模と企業形態――農業経営における基本問題』農林統計出版
今井照（二〇一八）「「計画」による国‐自治体間関係の変化――地方版総合戦略と森林経営管理法体制を事例に」『自治総研』第44巻第7号
梅本雅（二〇一四）「農業経営における規模論の展開」日本農業経営学会編『農業経営の規模と企業形態――農業経営における基本問題』農林統計出版
E・F・シューマッハー／小島慶三・酒井懋訳（一九八六）『スモール イズ ビューティフル』講談社学術文庫
川村誠（二〇一九）「林野利用における「所有と経営の分離」――所有権アプローチの導入」『入会林野研究』39号
五石敬路（二〇一二）「平成の市町村合併における「規模の経済」の検証」『創造都市研究』第8巻第1号
十六総合研究所編（二〇二〇）『これからの地方を動かすメカニズム――飛騨から見える地方の未来』十六総合研究所

田中淳夫（二〇一九）『絶望の林業』新泉社
飛田博史（二〇一九）「国税森林環境税・譲与税創設の経緯とその問題点」『自治総研』第45巻第5号
中嶋健造（二〇一八）「「新たな森林管理システム」の問題点と3つの提言」(https://zibatsu.jp/wordpress/wp-content/uploads/2018/02/「新たな森林管理システム」の問題点と3つの提言(修正).pdf)
平石学（二〇一四）「大規模畑作農業における大規模経営の展開と適正規模」日本農業経営学会編『農業経営の規模と企業形態――農業経営における基本問題』農林統計出版
町田俊彦（二〇〇六）「地方交付税削減下の「平成大合併」」町田俊彦編著『「平成大合併」の財政学』公人社
宮崎毅（二〇一九）『平成の大合併の経済評価――合併の背景、動機、長期的影響』三菱経済研究所
宮崎雅人（二〇一八b）『自治体行動の政治経済学』慶應義塾大学出版会
森田三郎（二〇一四）「農園の大規模化は、地域生活を豊かにするのか――ダイヌーバ＝アーヴィン論争を手がかりとして」『甲南大學紀要　文学編』164号
吉弘憲介（二〇一九）「森林環境譲与税の譲与基準の試算及びその検討について」『自治総研』第45巻第2号
吉村弘（一九九九）「行政サービス水準及び歳出総額からみた最適都市規模」『地域経済研究』10号
Dana McQuestin, Joseph Drew and Masato Miyazaki (2021). Do amalgamations make a difference? What we can learn from evaluating the policy success of a large scale forced amalgamation of local government. *Public Administration Quarterly*.

Linda Lobao and Curtis W. Stofferahn (2008). The community effects of industrialized farming: Social science research and challenges to corporate farming laws. *Agriculture and Human Values*, Vol. 25 (2).

第5章

飯田哲也・金子勝(二〇二〇)『メガ・リスク時代の「日本再生」戦略』筑摩書房
市川虎彦(二〇一七)「人口減少が止まらない！　地方創生」『現代の理論』第12号(http://gendainoriron.jp/vol.12/rostrum/ro02.php)
大島和夫(二〇一一)「地方自治体の経営責任」『京都府立大学学術報告(公共政策)』第3号
大島和夫(二〇一六)「地方・地域の発展のために」『京都府立大学学術報告(公共政策)』第8号
小樽市人口減少問題研究会(二〇一九)『人口半減社会と戦う――小樽からの挑戦』白水社
金子勝(二〇一一)『「脱原発」成長論――新しい産業革命へ』筑摩書房
坂本誠(二〇一八)「地方創生政策が浮き彫りにした国‐地方関係の現状と課題――「地方版総合戦略」の策定に関する市町村悉皆アンケート調査の結果をふまえて」『自治総研』第44巻第4号
ジェイン・ジェイコブズ／中村達也訳(二〇一二)『発展する地域　衰退する地域』ちくま学芸文庫
シュムペーター／塩野谷祐一・中山伊知郎・東畑精一訳(一九七七)『経済発展の理論(上)』岩波文庫
中島大(二〇一八)『小水力発電が地域を救う』東洋経済新報社
中山琢夫(二〇二〇)「再生可能エネルギー開発による地域付加価値の創造コミュニティ」小林久編『再エネで地域社会をデザインする』京都大学学術出版会

藤田昌久・浜口伸明・亀山嘉大(二〇一八)『復興の空間経済学』日本経済新聞出版社
文部科学省科学技術・学術政策研究所科学技術動向研究センター(二〇一三)「拡張産業連関表による再生可能エネルギー発電施設建設の経済・環境への波及効果分析」『DISCUSSION PAPER』第96号

コラム

空き家問題と地方財政

宮崎雅人(二〇一八a)「人口減少・高齢化と地方財政」『JP総研 Research』第41巻
吉原祥子(二〇一七)『人口減少時代の土地問題』中公新書

オーストラリアの地域衰退

玉井哲也(二〇一八)「オーストラリア――農業支援政策の拡大と縮小の歴史的経緯」『プロジェクト研究[主要国農業戦略横断・総合]研究資料』第7号
山口博之(二〇一四)「オーストラリア農業の将来性と課題」『Primaff Review』第62号

「発展なき成長」

安東誠一(一九八六)『地方の経済学』日本経済新聞社

「密度の経済」

浦上拓也(二〇〇六)「日本の水道用水供給事業におけるヘドニック費用関数の推定」『地域学研究』第36巻第3号
森川正之(二〇〇八)「サービス業の生産性と密度の経済性――事業所データによる対個人サービス業の分

析」『RIETI Discussion Paper Series』08-J-008
山内弘隆・竹内健蔵（二〇〇二）『交通経済学』有斐閣

おわりに

本書では、「なぜ地域は衰退したのか」について、具体例を交えながら説明してきた。また、一部の地域では、地域衰退の「臨界点」に達している可能性があることを、「公共サービス業」の現状を踏まえて論じた。さらに、現在行われている政策の問題点だけでなく、地域衰退を食い止めるために行うべきことについても論じた。

基盤産業の衰退を中心に地域衰退について議論してきた本書であるが、当初は、地域格差の問題について取り上げる『地域格差』という書籍として二〇〇七年に企画された。また、筆者の単著ではなく、金子勝慶應義塾大学教授(当時。現在は、立教大学大学院特任教授)との共著としてであった。

企画が持ち上がった二〇〇七年当時、総理大臣の座にあったのは、安倍晋三氏であった(第一次安倍晋三政権)。その〇七年には、その後の第二次政権に対しても大きな影響を与えたと筆者が考えている出来事が起こっている。その出来事とは、その年に行われた参議院議員選挙の地方一人区における野党(系)候補の相次ぐ当選である。

今となっては信じがたいことのように思えるが、青森、岩手、秋田、山形、栃木、富山、石川、山梨、三重、滋賀、奈良、鳥取、岡山、島根、香川、徳島、愛媛、高知、佐賀、長崎、熊本、宮崎、沖縄の各選挙区で、野党(系)候補が当選したのである。この選挙結果は、衆議院と参議院において過半数を占める政党が異なる「ねじれ状態」をもたらし、第一次政権の退陣につながった。

それゆえ、安倍氏は、「道半ば」の「地方創生」の看板を下ろすことなく、「いつか景気回復の温かい風が届く」と訴え続けたのではないかと思われる。

ところで、二〇二〇年のアメリカ合衆国の大統領選では、衰退する「ラストベルト(さびついた工業地帯)」と呼ばれる激戦州での勝敗が雌雄を決することとなり、民主党のジョー・バイデン氏が当選した。二〇一六年の大統領選においては、ラストベルトの白人労働者の支持を得た共和党のドナルド・トランプ氏が当選しており、ここでの接戦を制した候補者が大統領になっている。

ちなみに、二〇一六年の大統領選では、民主党のヒラリー・クリントン氏はラストベルトのウィスコンシン州を一度も訪れておらず、予想外の敗北を喫した。一九八八年以降の大統領選で民主党候補が負けていなかったとの油断からであった(「日本経済新聞」電子版二〇二〇年一〇月三一日)。

こうしたことから、衰退地域において、いかにして政治的支持を獲得するかが政権の維持・獲得に大きな役割を果たすことになることがわかる。自由民主党は、二〇〇九年の衆議院議員総選挙で政権を失うことになったものの、一〇年の参議院議員選挙では、逆に、青森、秋田、山形、栃木、群馬、富山、石川、福井、和歌山、鳥取、島根、山口、香川、徳島、愛媛、佐賀、長崎、熊本、宮崎、鹿児島、沖縄の地方一人区で勝利した。この選挙結果によって、与野党が入れ替わる形で参議院における「ねじれ状態」が生じることになり、翌年、当時の菅直人総理大臣が退陣する要因の一つとなった。

また、自治体レベルでも、衰退地域において政治的支持を得ることは非常に重要である。大阪府における大阪維新の会はその代表例であるといえる。大阪維新の会は、一〇年に結成された、人口減少と製造業の衰退が続く大阪府内で住民から絶大な支持を得ている「与党」である。二度の住民投票で否決されている看板政策の「大阪都構想」は、衰退地域の住民から政治的支持を獲得することを目的とした政策だったのである。

ここまで見てきたように、『地域格差』の企画が持ち上がった二〇〇七年からだけを見てみても、地域衰退は政治に大きな変化をもたらしていることがわかる。

こうした地域衰退と政治のダイナミズムを横目で見ながら、着々と『地域格差』の執筆を進めるはずであったが、諸般の事情により遅々として進まず、一二年もの月日が流れた。〇七年以降、「地域格差」は是正されることなく、一四年には『地方消滅』なる書籍が政府に近い立場の人々によって刊行され、本書でも取り上げた「地方創生」という政策が進められるようになった。衰退地域の「消滅可能性」が取りざたされるほどに議論が進んでしまった。「成果」が出せない地域は消滅するしかないのか。筆者は強い危機感を抱いていた。

そうした中で、新書の企画が再び動き出すことになったのが一九年の春のことである。企画再開にあたっては、単に地域格差の現状を描くのではなく、少し時間をさかのぼって「なぜ地域は衰退したのか」を基盤産業の衰退に焦点を当てて描くことになった。こうすることによって、表層的な政策提案ではなく、分析に基づいた、より根本に迫る提案ができるのではないかというのが筆者の目論見であった。この目論見が成功したかどうかは、読者の皆さんのご判断に委ねたい。

また、企画の仕切り直しにあたって、筆者の単著という形で執筆されることになった。本書執筆の機会を与えてくださった恩師である金子勝先生の学恩には心から感謝申し上げたい。

執筆を進めていく中で、内容が大きく変わったところがある。それは、地域に雇用を生み出してきたインバウンド需要と、東京一極集中と「都市と農村の格差」を生み出してきた東京のサービス業の雇用吸収力の扱いである。これらの変化は、新型コロナウイルスの大流行によって生じたものであり、予想外の出来事であった。インバウンド需要とサービス業の雇用吸収力とが、瞬く間に変化していったことによって、本書の記述も大きく変えざるを得なかった。ただ、これらの変化が生じる前に本書が刊行されていたならば、おそらく本書は長く読まれることのない新書になってしまったのではないかと思われる。

さて、本書がこのように無事に刊行にこぎつけることができたのは、ひとえに岩波書店新書編集部の上田麻里さんのおかげである。企画段階から刊行まで、一四年近い年月が過ぎてしまったが、辛抱強く原稿が書き上がるまで待ってくださった。その上、筆者の生硬な文章を丁寧に修正し、読者の皆さんに読みやすくなるように工夫してくださった。もしまだ本書に読みにくいところがあれば、それは筆者の責任である。

筆者の能力の問題もあり、刊行はさらに当初の予定よりも遅れることとなったが、おかげで新型コロナウイルスの大流行、東京2020オリンピック競技大会の延期、菅義偉政権への政権交代、「大阪都構想」の二度目の否決、アメリカ合衆国大統領選の結果といった非常にインパクトの大きな出来事を踏まえて執筆することができた。

今後行われる衆議院議員総選挙など各種選挙では、衰退地域において政治的支持を獲得した方が権力の座を維持・獲得することになるであろう。日本の衰退が続く限り、こうした傾向は強まっていくものと思われる。本書を最後までお読みいただいた皆さんにおかれては、選挙目当てのスローガンに惑わされることなく、衰退を食い止めるための政策を考えていただきたい。

最後に、第2章で取り上げた筆者の故郷である須坂市について述べておこう。地域衰退の事例として同市を取り上げたことには、正直、心苦しさも感じている。他方で、日本の製造業が衰退していく中で、他地域に住む人々にとっても、企業城下町であった同市の衰退をある種の「共通体験」のように受け止めてもらえるのではないかと考え、取り上げることとした。

本書をきっかけに、より多くの人が地域衰退に関心を抱き、地域が少しでも良い方向に向かうことが筆者の切なる願いである。

二〇二〇年一一月一六日　自宅書斎にて

宮﨑雅人

本書刊行後、第2章で取り上げた須坂市の状況に変化が生じている。須坂の中心街にあった商業ビルは解体され、「須坂ショッピングセンター」も閉鎖されるとの報道があった。また、高等学校の再編が行われることになり、小中学校の学校数・学区の見直しも進む可能性がある。こうした中で、上信越道須坂長野東インターチェンジ付近には巨大ショッピングモールの建設が予定されている。どのようにして地域衰退を食い止めればよいのか。筆者が論じなければならないことは、まだたくさんあるようだ。

（二〇二四年六月一〇日追記）

宮崎雅人

1978年生まれ．慶應義塾大学大学院博士課程単位取得退学．博士(経済学)．現在，埼玉大学大学院人文社会科学研究科教授．

専門は，財政学・地方財政論．

著書―『自治体行動の政治経済学』(慶應義塾大学出版会，2018年)，『収縮経済下の公共政策』(四方理人・田中聡一郎との共編著，慶應義塾大学出版会，2018年) など．

地域衰退　　岩波新書(新赤版)1864

2021年1月20日　第1刷発行
2024年7月16日　第3刷発行

著　者　宮崎雅人《みやざきまさと》

発行者　坂本政謙

発行所　株式会社 岩波書店
〒101-8002 東京都千代田区一ツ橋2-5-5
案内 03-5210-4000　営業部 03-5210-4111
https://www.iwanami.co.jp/

新書編集部 03-5210-4054
https://www.iwanami.co.jp/sin/

印刷・精興社　カバー・半七印刷　製本・中永製本

ISBN 978-4-00-431864-4　　Printed in Japan
JASRAC 出 2009024-403

岩波新書新赤版一〇〇〇点に際して

ひとつの時代が終わったと言われて久しい。だが、その先にいかなる時代を展望するのか、私たちはその輪郭すら描きえていない。二〇世紀から持ち越した課題の多くは、未だ解決の緒を見つけることのできないままであり、二一世紀が新たに招きよせた問題も少なくない。グローバル資本主義の浸透、憎悪の連鎖、暴力の応酬――世界は混沌として深い不安の只中にある。

現代社会においては変化が常態となり、速さと新しさに絶対的な価値が与えられた。消費社会の深化と情報技術の革命は、種々の境界を無くし、人々の生活やコミュニケーションの様式を根底から変容させてきた。ライフスタイルは多様化し、一面では個人の生き方をそれぞれが選びとる時代が始まっている。同時に、新たな格差が生まれ、様々な次元での亀裂や分断が深まっている。社会や歴史に対する意識が揺らぎ、普遍的な理念に対する根本的な懐疑や、現実を変えることへの無力感がひそかに根を張りつつある。そして生きることに誰もが困難を覚える時代が到来している。

しかし、日常生活のそれぞれの場で、自由と民主主義を獲得し実践することを通じて、私たち自身がそうした閉塞を乗り超え、希望の時代の幕開けを告げてゆくことは不可能ではあるまい。そのために、いま求められていること――それは、個と個の間で開かれた対話を積み重ねながら、人間らしく生きることの条件について一人ひとりが粘り強く思考することではないか。その営みの糧となるものが、教養に外ならないと私たちは考える。歴史とは何か、よく生きるとはいかなることか、世界そして人間はどこへ向かうべきなのか――こうした根源的な問いとの格闘が、文化と知の厚みを作り出し、個人と社会を支える基盤としての教養となった。まさにそのような教養への道案内こそ、岩波新書が創刊以来、追求してきたことである。

岩波新書は、日中戦争下の一九三八年一一月に赤版として創刊された。創刊の辞は、道義の精神に則らない日本の行動を憂慮し、批判的精神と良心的行動の欠如を戒めつつ、現代人の現代的教養を刊行の目的とする、と謳っている。以後、青版、黄版、新赤版と装いを改めながら、合計二五〇〇点余りを世に問うてきた。そして、いままた新赤版が一〇〇〇点を迎えたのを機に、人間の理性と良心への信頼を再確認し、それに裏打ちされた文化を培っていく決意を込めて、新しい装丁のもとに再出発したいと思う。一冊一冊から吹き出す新風が一人でも多くの読者の許に届くこと、そして希望ある時代への想像力を豊かにかき立てることを切に願う。

（二〇〇六年四月）

岩波新書より

社会

- 女性不況サバイバル　竹信三恵子
- パリの音楽サロン　青柳いづみこ
- 持続可能な発展の話　宮永健太郎
- 皮革とブランド　変化するファッション倫理　西村祐子
- 動物がくれる力　教育、福祉、そして人生　大塚敦子
- 政治と宗教　島薗進編
- 超デジタル世界　西垣通
- 現代カタストロフ論　金子勝　児玉龍彦
- 「移民国家」としての日本　宮島喬
- 迫りくる核リスク　〈核抑止〉を解体する　吉田文彦
- 記者がひもとく「少年」事件史　川名壮志
- 中国のデジタルイノベーション　小池政就
- これからの住まい　川崎直宏
- 検察審査会　デイビッド・T・ジョンソン　平山真理　福来寛
- ドキュメント〈アメリカ世〉の沖縄　宮城修
- 東京大空襲の戦後史　栗原俊雄
- 土地は誰のものか　五十嵐敬喜
- 民俗学入門　菊地暁
- 企業と経済を読み解く小説50　佐高信
- 視覚化する味覚　久野愛
- ロボットと人間　人とは何か　石黒浩
- ジョブ型雇用社会とは何か　濱口桂一郎
- 法医学者の使命　「人の死を生かす」ために　吉田謙一
- 異文化コミュニケーション学　鳥飼玖美子
- モダン語の世界へ　山室信一
- 時代を撃つノンフィクション100　佐高信
- 労働組合とは何か　木下武男
- プライバシーという権利　宮下紘
- 地域衰退　宮﨑雅人
- 江戸問答　田中優子　松岡正剛
- 広島平和記念資料館は問いかける　志賀賢治
- コロナ後の世界を生きる　村上陽一郎編
- リスクの正体　神里達博
- 紫外線の社会史　金凡性
- 「勤労青年」の教養文化史　福間良明
- 5G　次世代移動通信規格の可能性　森川博之
- 客室乗務員の誕生　山口誠
- 「孤独な育児」のない社会へ　榊原智子
- 放送の自由　川端和治
- 社会保障再考　〈地域〉で支える　菊池馨実
- 生きのびるマンション　山岡淳一郎
- 虐待死　なぜ起きるのか、どう防ぐか　川崎二三彦
- 平成時代◆　吉見俊哉
- バブル経済事件の深層　奥山俊宏　村山治
- 日本をどのような国にするか　丹羽宇一郎
- なぜ働き続けられない？　社会と自分の力学　鹿嶋敬
- 物流危機は終わらない　首藤若菜

岩波新書より

認知症フレンドリー社会　徳田雄人
アナキズム　一丸となってバラバラに生きろ　栗原康
まちづくり都市　金沢　山出保
総介護社会　小竹雅子
賢い患者　山口育子
住まいで「老活」　安楽玲子
現代社会はどこに向かうか　見田宗介
EVと自動運転　クルマをどう変えるか　鶴原吉郎
ルポ 保育格差◆　小林美希
棋士とAI　王銘琬
科学者と軍事研究　池内了
原子力規制委員会　新藤宗幸
東電原発裁判　添田孝史
日本問答　田中優子　松岡正剛
日本の無戸籍者　井戸まさえ
〈ひとり死〉時代のお葬式とお墓　小谷みどり
町を住みこなす　大月敏雄

歩く、見る、聞く 人びとの自然再生　宮内泰介
対話する社会へ　暉峻淑子
悩みいろいろ　金子勝
魚と日本人　食と職の経済学　濱田武士
ルポ 貧困女子　飯島裕子
鳥獣害　動物たちと、どう向きあうか　祖田修
科学者と戦争　池内了
新しい幸福論　橘木俊詔
ブラックバイト　学生が危ない　今野晴貴
原発プロパガンダ　本間龍
ルポ 母子避難　吉田千亜
日本にとって沖縄とは何か　新崎盛暉
日本病　長期衰退のダイナミクス◆　金子勝　児玉龍彦
雇用身分社会　森岡孝二
生命保険とのつき合い方◆　出口治明
ルポ にっぽんのごみ　杉本裕明
鈴木さんにも分かるネットの未来　川上量生

地域に希望あり◆　大江正章
世論調査とは何だろうか◆　岩本裕
フォト・ストーリー 沖縄の70年　石川文洋
ルポ 保育崩壊　小林美希
多数決を疑う　社会的選択理論とは何か　坂井豊貴
アホウドリを追った日本人　平岡昭利
朝鮮と日本に生きる　金時鐘
被災弱者　岡田広行
農山村は消滅しない　小田切徳美
復興〈災害〉　塩崎賢明
「働くこと」を問い直す　山崎憲
原発と大津波　警告を葬った人々　添田孝史
縮小都市の挑戦　矢作弘
福島原発事故　被災者支援政策の欺瞞　日野行介
日本の年金◆　駒村康平
食と農でつなぐ　福島から◆　塩谷弘康　岩崎由美子
過労自殺〔第二版〕◆　川人博

岩波新書より

働きすぎの時代◆　森岡孝二
桜が創った「日本」　佐藤俊樹
生きる意味　上田紀行
社会起業家◆　斎藤槙
逆システム学◆　金子勝　児玉龍彦
男女共同参画の時代　鹿嶋敬
当事者主権　中西正司　上野千鶴子
豊かさの条件　暉峻淑子
クジラと日本人　大隅清治
人生案内　落合恵子
若者の法則　香山リカ
自白の心理学　浜田寿美男
原発事故はなぜくりかえすのか　高木仁三郎
日本の近代化遺産　伊東孝
証言 水俣病　栗原彬編
日の丸・君が代の戦後史◆　田中伸尚
コンクリートが危ない　小林一輔
東京国税局査察部　立石勝規

バリアフリーをつくる　光野有次
ドキュメント 屠場　鎌田慧
能力主義と企業社会　熊沢誠
現代社会の理論　見田宗介
原発事故を問う◆　七沢潔
災害救援　野田正彰
スパイの世界　中薗英助
都市開発を考える　大野輝之　レイコ・ハベ・エバンス
ディズニーランドという聖地　能登路雅子
原発はなぜ危険か◆　田中三彦
豊かさとは何か　暉峻淑子
農の情景　杉浦明平
異邦人は君ヶ代丸に乗って　金賛汀
読書と社会科学　内田義彦
文化人類学への招待◆　山口昌男
ビルマ敗戦行記　荒木進
プルトニウムの恐怖　高木仁三郎
日本の私鉄　和久田康雄
社会科学における人間　大塚久雄

女性解放思想の歩み　水田珠枝
沖縄ノート　大江健三郎
沖縄　比嘉春潮
民話　関敬吾
唯物史観と現代〔第二版〕　梅本克己
民話を生む人々　山代巴
米軍と農民　阿波根昌鴻
沖縄からの報告　瀬長亀次郎
結婚退職後の私たち　塩沢美代子
ユダヤ人◆　J-P・サルトル　安堂信也訳
社会認識の歩み◆　内田義彦
社会科学の方法　大塚久雄
自動車の社会的費用　宇沢弘文
上海　殿木圭一
現代支那論　尾崎秀実

(2023.7)

◆は品切，電子書籍版あり．　(D4)

岩波新書／最新刊から

2013 **スタートアップとは何か** ―経済活性化への処方箋― 加藤雅俊 著

経済活性化への期待を担うスタートアップ。アカデミックな知見に基づきその実態を見定め、「挑戦者」への適切な支援を考える。

2014 **罪を犯した人々を支える** ―刑事司法と福祉のはざまで― 藤原正範 著

「凶悪な犯罪者」からはほど遠い、社会復帰のために支援を必要とするリアルな姿。司法と福祉の溝を社会はどう乗り越えるのか。

2015 **日本語と漢字** ―正書法がないことばの歴史― 今野真二 著

漢字は単なる文字であることを超えて、日本語に影響を与えつづけてきた。さまざまなかたちから探る、「変わらないもの」の歴史。

2016 **頼山陽** ―詩魂と史眼― 揖斐高 著

詩人の魂と歴史家の眼を兼ね備えた稀有な文人の生涯を、江戸後期の文事と時代状況のなかに活写することで、全体像に迫る評伝。

2017 **ひらがなの世界** ―文字が生む美意識― 石川九楊 著

ひらがな＝女手という大河を遡ってその源流を探り、「つながる文字」の本質に迫る。貫之の名品から顔文字、そしてアニメまで。

2018 **なぜ難民を受け入れるのか** ―人道と国益の交差点― 橋本直子 著

国際社会はいかなる論理と方法で難民を保護してきたのか。日本の課題は何か。政策研究の知見と実務経験をふまえ多角的に問い直す。

2019 **不適切保育はなぜ起こるのか** ―子どもが育つ場はいま― 普光院亜紀 著

保育施設で子どもの心身を脅かす不適切行為が後を絶たない。問題の背景を丹念に検証し、子どもが主体的に育つ環境に向けて提言。

2020 **古墳と埴輪** 和田晴吾 著

三世紀から六世紀にかけて列島で造られた、おびただしい数の古墳。古墳と埴輪の本質と古代人の他界観を最新の研究成果から探る。

（2024.7）